As Irmãs Esquisitas

A história das trigêmeas maldosas

The odd sisters
Copyright © 2019 by Disney Enterprises, Inc.
All rights reserved.

© 2019 by Universo dos Livros
Todos os direitos reservados e protegidos pela Lei 9.610 de 19/02/1998.
Nenhuma parte deste livro, sem autorização prévia por escrito da editora, poderá ser reproduzida ou transmitida sejam quais forem os meios empregados: eletrônicos, mecânicos, fotográficos, gravação ou quaisquer outros.

Diretor editorial: Luis Matos
Gerente editorial: Marcia Batista
Assistentes editoriais: Letícia Nakamura e Raquel F. Abranches
Tradução: Jacqueline Valpassos
Preparação: Alline Salles
Revisão: Juliana Gregolin e Nestor Turano Jr.
Arte: Valdinei Gomes
Diagramação: Aline Maria
Ilustração da capa e miolo: Pablo Santander Tiozzo-Lyon

Dados Internacionais de Catalogação na Publicação (CIP)
Angélica Ilacqua CRB-8/7057

V252a
    Valentino, Serena
    As irmãs esquisitas : a histórias das trigêmeas maldosas / Serena Valentino;
    tradução de Jacqueline Valpassos. – São Paulo : Universo dos Livros, 2020.
    224 p. (Vilões da Disney ; 6)

    ISBN: 978-85-503-0494-6
    Título original: *The odd sisters*

    1. Literatura infantojuvenil 2. Super-vilões I. Título II. Valpassos, Jacqueline

20-1112   CDD 028.5

Universo dos Livros Editora Ltda.
Avenida Ordem e Progresso, 157 – 8º andar – Conj. 803
CEP 01141-030 – Barra Funda – São Paulo/SP
Telefone/Fax: (11) 3392-3336
www.universodoslivros.com.br
e-mail: editor@universodoslivros.com.br
Siga-nos no Twitter: @univdoslivros

Serena Valentino

As Irmãs Esquisitas

A história das trigêmeas maldosas

São Paulo
2020

Grupo Editorial
UNIVERSO DOS LIVROS

Dedicado a Tom Waits.

"Eu irei buscar em todos os rostos pelo de Lucinda
E ela irá partir comigo para o inferno"
– Tom Waits, "Lucinda"

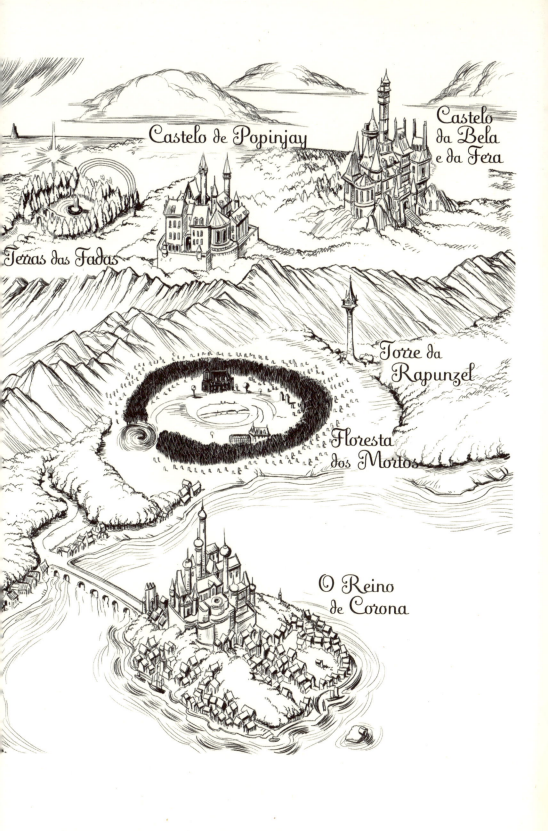

PRÓLOGO

Minhas mães, Lucinda, Ruby e Martha são, por definição, esquisitas, e também são irmãs. Irmãs trigêmeas idênticas, para ser exata.

Muitos já comentaram sobre a aparência delas ao longo dos anos. A Fada das Trevas, Malévola, achava que eram as criaturas mais fascinantes que já vira. Outros as compararam a bonecas quebradas e abandonadas, deixadas ao vento e à chuva, desmantelando-se e desbotando. A observação mais contundente foi feita por Úrsula, a grande e terrível Bruxa do Mar. Ela disse que a beleza das irmãs esquisitas era tão absolutamente desproporcional que as tornava irresistivelmente grotescas.

Eu sempre as achei belas, mesmo quando estavam desvairadas. Mesmo quando me deixavam com raiva. Mesmo agora, decepcionada e de coração partido por elas, sabendo o quanto elas realmente são cruéis, destrutivas e vis. Ainda as amo.

Ao ler os diários de minhas mães, Branca de Neve e eu tomamos conhecimento de que não há bruxa viva que seja mais poderosa do que elas, exceto por uma. Eu.

Se você está familiarizado com a história das irmãs esquisitas, então sabe que, muito tempo atrás, elas tinham uma irmã mais nova chamada Circe, que foi tragicamente morta quando a Fada das Trevas, Malévola, destruiu as Terras das Fadas em um ataque de fúria, em seu décimo sexto aniversário. Esse era um segredo que esconderam de Malévola. Lucinda, Ruby e Martha estavam tão desesperadas para trazer sua irmã de volta à vida que desistiram das melhores partes de si mesmas para criar uma nova Circe. Uma substituta para a irmã que haviam perdido.

Eu.

Eu já não era mais a irmã delas, mas sua filha, uma filha criada pela magia e pelo amor. Minhas mães fariam qualquer coisa para me proteger e elas o fizeram, sem hesitação, ao longo dos séculos. Causaram estragos e provocaram caos, destruindo tudo e todos em seu caminho, tudo isso para me proteger. A Circe delas.

Durante toda a vida, acreditei que eram minhas irmãs, e estavam lá para cuidar de mim, mantendo-me a salvo, até mesmo das menores coisas. Sempre achei que eram apenas irmãs mais velhas dedicadas e protetoras porque haviam sido forçadas a me criar como sua própria filha depois que algo terrível aconteceu com nossos pais, algo horrível demais para que me contassem. Enquanto estávamos crescendo, Lucinda, Ruby e Martha se recusavam a me contar sobre nossa mãe e nosso pai. Diziam que estavam me protegendo da verdade. Mas a verdade é que elas eram minhas mães.

Crescer com essas mães protetoras foi um desafio. Mas seu amor inabalável e disposição para compartilhar a arte da feitiçaria me fizeram progredir na magia. Desde muito pequena, eu conseguia fazer encantamentos que as bruxas mais velhas não conseguiam, e minhas mães sempre comentavam que achavam que meus dons eram mais fortes do que os delas. Conforme fui ficando mais velha, percebi que elas poderiam estar certas, porque eu ficava constantemente surpresa com minha habilidade de praticar encantamentos e lançar feitiços sem muito esforço. O problema é que isso nunca me ocorre. Na maioria das vezes, alguém tem que chamar minha atenção para a ideia de usar magia ou para o fato de eu ter acabado de lançar um feitiço ou praticado um feito mágico sem ao menos ter conhecimento disso. Minhas mães estavam sempre lá para me lembrar e me proteger de qualquer mal que pudesse recair sobre mim.

Foi somente quando fiquei um pouco mais velha e me apaixonei pelo príncipe Fera que minhas mães, para me proteger, tornaram-se brutais e vingativas. O príncipe partiu meu coração e minhas mães, bem, elas queriam destruí-lo como punição.

Lembro-me do dia em que lhes contei que me apaixonara e como elas entraram em pânico. Elas me convenceram a participar de um estratagema que me revelaria a prova de que aquele homem não era digno de mim. Concordei porque confiava em sua devoção a mim e faria qualquer coisa para convencê-las de suas intenções honestas. Então, vesti-me como uma filha de criador de porcos, juntei-me aos animais na sujeira e esperei meu príncipe vir me encontrar. No fim, foi ele quem acabou se mostrando um animal. Ele reagiu exatamente da forma como as irmãs esquisitas esperavam. Sentiu repulsa por mim e retirou seu amor. Foi tão vil e tão cruel comigo que eu o amaldiçoei.

Cada ato ruim que ele cometesse ficaria marcado em seu rosto. Se ele mudasse de atitude, a maldição não desfiguraria sua aparência. Dei a ele uma rosa encantada de seu jardim para lembrá-lo do amor que um dia tivemos. Quando a última pétala caísse, ele permaneceria para sempre na forma resultante de suas ações.

Como muitas bruxas e fadas antes de mim, eu dei a ele uma chance de quebrar a maldição encontrando e recebendo amor verdadeiro. Achei que era justo. Pensei estar lhe dando a oportunidade de se redimir. Mas as irmãs esquisitas tinham outros planos. Elas o enlouqueceram e o atraíram para o caminho da destruição a todo momento, certificando--se de que ele se transformasse exteriormente na fera horrível que viam residindo dentro dele. Tudo isso eu poderia ter perdoado se elas não tivessem envolvido a princesa Tulipa Morningstar e a Bela. Minhas mães levaram Fera à loucura com seus constantes tormentos. Ele tratou a princesa Tulipa de forma tão abominável e cruel que ela se atirou dos penhascos rochosos direto para os tentáculos da Bruxa do Mar. Úrsula poupou sua vida em troca de sua beleza e sua voz. Bem, eu recuperei as duas coisas para a pobre princesa, trocando-as pelo colar de conchas de Úrsula que minhas mães haviam surrupiado magicamente do Rei Tritão. Eu não podia perdoá-las por colocarem a vida de Tulipa em perigo. E eu não podia perdoar os horrores que fizeram a pobre Bela passar só para destruir Fera por ele ter me maltratado.

Foi apenas o começo de minhas decepções com minhas mães e o início de meu novo papel: corrigir os males que elas causaram. Eu estava tão zangada com elas por colocarem as vidas de Tulipa e Bela em perigo que fui embora, recusando suas convocações. Escondi-me delas de todas as formas que conhecia. Era o único meio que eu tinha de puni-las: sonegar o meu amor na esperança de que elas mudassem sua conduta.

Desesperadas, minhas mães pediram ajuda a Úrsula. Ela era uma bruxa poderosa, e achavam que ela poderia ajudá-las a me encontrar. Mal sabiam elas que a Bruxa do Mar havia me sequestrado e me reduzido a uma mera concha de mim mesma, atirando-me em seu jardim sombrio com as outras almas que ela colhera ao longo dos séculos. Úrsula concordou em ajudar minhas mães se elas prometessem forjar um feitiço no ódio para derrubar seu irmão, o Rei Tritão. Úrsula tinha o direito de tomar o trono do irmão. O pai deles o havia deixado para ambos, e o tratamento que Tritão dispensara a Úrsula fora horrível. Se Úrsula tivesse trazido esse plano até mim, eu provavelmente teria me unido à sua causa. Mas jamais teria me permitido agir por meio do ódio ou concordado em machucar a filha mais nova de Tritão, Ariel.

Malévola, amiga de longa data de minhas mães, advertiu-as para não se enredarem nos assuntos de Úrsula. Ela avisou que Úrsula não era confiável, que o feitiço era perigoso. No entanto, elas não escutaram, como quase sempre faziam, ignorando os sinais de que Úrsula não era a bruxa que haviam amado durante os muitos anos de amizade. Cegas por sua obsessão em me encontrar, elas seguiram com seu louco plano para destruir Tritão. Tudo isso eu poderia ter perdoado se elas não tivessem tentado matar Ariel.

Uma vez que minhas mães descobriram que Úrsula havia tomado minha alma e me colocado em seu jardim, elas ficaram furiosas. Inverteram o feitiço que criaram para que fosse direcionado a Úrsula, matando-a e quase destruindo as terras e a si mesmas na tentativa de me salvar. Porém, não previram o que isso faria com elas. Não conseguiram prever que isso deixaria seus corpos adormecidos sob o domo de vidro do solário em Morningstar e suas almas residindo na Terra dos Sonhos. É lá que elas permanecem até hoje.

A magnitude desse feitiço trouxe Malévola para Morningstar. Ela esperava encontrar alguém poderoso o suficiente para se certificar de que o Príncipe Felipe não iria quebrar a maldição de adormecimento que ela havia colocado em sua filha, Aurora, no dia de seu batizado.

A maldição deveria entrar em vigor em seu décimo sexto aniversário, que estava se aproximando rapidamente. Malévola tinha medo de que, quando Aurora completasse dezesseis anos, ela manifestasse seus poderes, assim como acontecera com Malévola, em uma explosão de raiva e fogo. Ela estava apavorada por sua filha e queria poupá-la do desgosto de destruir tudo e todos que ela já amara, assim como a própria Malévola fizera.

Eu não sabia que minhas mães eram tão próximas de Malévola, que a conheciam e a amavam desde que ela era jovem. Não sabia que elas a tinham ajudado a criar sua filha: Aurora, a estrela brilhante de Malévola. Um feitiço que seria a ruína de Malévola, já que fora também a ruína das minhas mães, uma vez que me criaram da mesma forma. Então, decidi manter minhas mães na Terra dos Sonhos até que eu pudesse determinar o que fazer. Tudo que pedi a elas foi que sentassem, ficassem quietas e não se intrometessem. Eu precisava de tempo para consertar as consequências das mortes de Úrsula e Malévola e a destruição que ambas causaram com a ajuda de minhas mães.

Mas elas não ficaram satisfeitas em esperar. Não ficaram satisfeitas em sentar-se em silêncio enquanto eu limpava a bagunça delas. Intrometeram-se novamente, desta vez com Gothel, uma amiga de infância que precisava de ajuda. Gothel era uma bruxa que vivia na Floresta dos Mortos com suas irmãs, Primrose e Hazel, e sua poderosa mãe, Manea. Enquanto lia a história de Gothel no livro de contos de fadas, a cada virada de página eu aprendia mais sobre a natureza de minhas mães. Eu as via como jovens bruxas cheias de potencial e capacidade de amizade leal até perderem sua irmã mais nova, Circe, a garota que eu costumava ser. Foi quando elas começaram a mudar. O único foco estava em trazê-la de volta à vida. Elas conseguiram, mas a magia que usaram mudou-as. E mudou a mim também.

Essa magia levou-as à loucura.

Depois disso, cada célula de seus seres estava focada em me proteger. Elas se recusaram a me perder novamente.

Para isso, enganaram e usaram Gothel, fazendo-a sentir-se como se elas pensassem nela como uma irmã. Roubaram os feitiços de sua mãe da Floresta dos Mortos e os usaram para seus próprios objetivos. Quando as irmãs de Gothel foram mortas em um ataque de sua própria mãe, minhas mães prometeram ajudar Gothel a trazê-las de volta dos mortos. Minhas mães entraram na história, fazendo promessas que eu tenho certeza de que nunca pretenderam cumprir, enquanto tramavam para roubar de Gothel a flor mágica rapunzel. Seu objetivo era recuperar Malévola dos efeitos degenerativos do feitiço que elas haviam lançado para criar Aurora. Ao mesmo tempo, tenho certeza de que elas culpavam Gothel por minha raiva, porque eu as peguei se intrometendo mais uma vez.

Mas a verdade é que não era culpa de Gothel. Nem de Malévola, de Úrsula, de Fera ou de Grimhilde. A verdade é que eu já estava farta da destruição e do sofrimento causado por minhas mães.

Enquanto testemunhava essa emaranhada teia de eventos, acompanhando cada história no livro de contos de fadas, notei um padrão. Minhas mães desejavam fazer o que achavam bom e justo, mas apenas quando se tratava de me proteger. Mas ai daqueles que ficassem em seu caminho! Quero perdoá-las, porque sei que, no fundo, elas acreditam que o que estão fazendo é certo, e quem não faria de tudo para proteger sua prole? Mas o que eu não posso perdoar é a sua total falta de empatia ou compaixão por aqueles que tentaram destruir simplesmente por ficarem em seu caminho: Tulipa. Bela. Maurice. E Branca de Neve.

Como elas odeiam Branca de Neve! As coisas terríveis que fizeram com ela quando criança. Assustando-a na floresta e atormentando-a com ameaças de feitiçaria. Então, dando a Grimhilde um espelho possuído por seu pai abusivo, deixando-a louca, e encorajando-a a matar a própria filha. É imperdoável. E, apesar de terem prendido Grimhilde no espelho que seu pai costumava assombrar, elas ainda não estão satisfeitas. Ainda odeiam Branca de Neve.

Até hoje, a razão disso permanece um mistério para mim.

Então, enquanto estou aqui sentada escrevendo nos diários de minhas mães, adicionando anotações ao seu Livro de Sombras, eu me pergunto como cheguei aqui e como acabei encontrando tamanha amizade em minha prima Branca de Neve. Sem ela, não sei como teria sobrevivido a qualquer uma dessas revelações. Sem ela, eu não teria coragem de ver minhas mães como elas são.

Branca de Neve tem sido meu espelho e minha guia enquanto a vejo se distanciar de sua mãe destrutiva. Uma mãe cheia de tristeza e desespero pelo tratamento que recebe de sua filha. Uma mãe eternamente implorando perdão à filha. Minha prima sente-se oprimida pela tarefa de fazer com que sua mãe se sinta melhor por seus erros do passado, da mesma forma que eu me sinto oprimida pela traição de minhas próprias mães.

Termos nos encontrado foi um presente para nós duas. Eu me sinto mais forte tendo Branca de Neve ao meu lado enquanto buscamos juntas a verdade sobre o meu passado e o passado de minhas mães.

Assim sendo, esta é a minha história tanto quanto é a história de Lucinda, Ruby e Martha. Porque somos todas uma só. Nossos destinos estão ligados por um fio de prata delicado, entrelaçando-nos, unindo-nos pelo sangue, pela magia e por um amor perigoso e opressivo.

Eu me sento aqui na casa de minhas mães e me pergunto o que fazer a seguir. Devo deixá-las na Terra dos Sonhos para puni-las por seus crimes? Ou as deixo soltas pelos muitos reinos só para elas arruinarem mais vidas, tudo em nome do amor?

Mesmo quando me pergunto isso, já sei a resposta. Tornou-se desoladoramente claro que sou responsável pelas ações de minhas mães. E há apenas uma coisa a ser feita sobre isso.

Eu só preciso encontrar coragem para realizá-la.

CAPÍTULO I

A Bruxa Atrás dos Espelhos

As irmãs esquisitas estavam presas em um crepúsculo perpétuo.

Na Terra dos Sonhos, tudo era caos, ritmo e magia. A câmara espelhada parecia menor e mais confinada agora que Circe tornara negros todos os espelhos. Fora o castigo delas pelo papel que desempenharam na história de Gothel e pelas mortes de Malévola, de Úrsula e da Rainha Grimhilde.

As irmãs esquisitas temiam que, desta vez, a filha não as perdoasse como fizera tantas outras vezes no passado. Elas haviam passado do limite muitas vezes. Haviam perdido a noção dos muitos motivos pelos quais Circe as estava banindo para a escuridão e negando-lhes o seu amor. E isso lhes partia o coração, levando-as a ataques de pânico e raiva. Isso lembrou Lucinda da promessa que ela fizera.

Destruir todo mundo que Circe prezava.

A Terra dos Sonhos havia perdido sua magia para as irmãs. Elas já não ouviam o ritmo no caos. Não conseguiam mais quebrar o código e usar a magia ali. A magia estava nos vários espelhos, mas os espelhos agora estavam escuros para elas. Circe providenciara isso. As irmãs esquisitas estavam impotentes, cativas e sozinhas com sua loucura, que as levava por um caminho familiar de ruína e desespero.

Martha e Ruby sentaram-se no chão da câmara, chorando. Ainda usavam seus vestidos esfarrapados e manchados de sangue, roupas que trajavam desde que haviam feito a cerimônia do sangue para se comunicar com Malévola quando ela estava lutando contra o Príncipe Felipe. Parecia que fora há muito tempo, mas acabara de acontecer. Elas mal tiveram tempo de lamentar a perda de sua amada bruxa dragão antes que se distraíssem com os absurdos de Gothel.

— Maldita Gothel! — Lucinda gritou, enquanto caminhava em círculo maniacamente pela sala. — Se não fosse por ela, Circe poderia ter nos perdoado!

Martha e Ruby ainda choravam, sem ouvir os delírios de Lucinda.

— E se ela descobrir a verdade? Então o que vai pensar de nós?

Lucinda olhou para as irmãs.

As três sempre se sentiram como uma só. Sempre a mesma. Mas, por um breve momento, as duas pareciam estranhas para ela. Quase estranhas e irreais, muito diferentes e separadas dela. O sentimento a pegou de surpresa. Ela entendeu, naquele momento, como Circe devia vê-las agora.

— Silêncio! Parem de chorar!

Lucinda precisava de silêncio. Ela precisava pensar. Precisava encontrar uma maneira de sair da câmara para poder vingar-se da Fada Madrinha e de sua irmã intrometida, Babá, por tirarem Circe delas.

— Eu não consigo pensar com seu lamento interminável! Prometo a vocês, irmãs, vamos encontrar um jeito de destruir tudo o que Circe preza! Precisamos encontrar um meio de trazer Malévola de volta à vida para que ela possa nos ajudar em nossa causa! Ela odeia as fadas tanto quanto nós!

— Lucinda, não! É exatamente por isso que Circe está com raiva de nós! — guinchou Ruby.

Ela estava olhando para Lucinda com os olhos arregalados. Lucinda pôde ver a loucura neles e isso a assustou.

— Sim, Lucinda! — Martha chorou. — Ela nunca nos perdoará se as matarmos!

— Calem-se! — Lucinda parou abruptamente de andar e olhou para as duas irmãs enlouquecidas. — Se tirarmos tudo e todos que ela ama, ela não terá escolha a não ser nos procurar em busca de consolo! Nós seremos tudo que lhe restará no mundo. Ela vai precisar de nós! — Sentia-se como se estivesse implorando a crianças desmioladas.

— Isso não funcionou com Gothel! O que faz você pensar que funcionará com Circe?

Lucinda pensou na pergunta de Ruby. O fato era que ela não tinha certeza de que funcionaria. Mas sentia que elas não tinham outra escolha.

— Nós negligenciamos Gothel. Nós a deixamos sozinha e ela enlouqueceu. Não percebemos o quanto Manea estava dentro dela. — Lucinda parecia estar se lembrando de algo, revendo em sua mente. Ela sacudiu a cabeça, como se tentasse banir o pensamento. — Gothel estava fraca. Irmãs em magia ou não, ela não é nada para nós agora! Ela se recusou a nos dar a flor para que pudéssemos salvar Malévola! Ela é a culpada pela morte de Malévola! Certamente, Circe entenderá se a trouxermos de volta!

— Deveríamos simplesmente esperar — disse Martha. — Se esperarmos e não fizermos nada, como Circe pediu, ela acabará nos perdoando. Ela tem que perdoar!

Lucinda agitou a mão para as irmãs, esquecendo que elas já não tinham magia naquele lugar.

— Silêncio! Eu não vou esperar o julgamento das fadas!

— O que você quer dizer com "o julgamento das fadas"? — perguntaram Ruby e Martha ao mesmo tempo, pondo-se de pé.

— Acham que as fadas não terão voz em tudo isso? Esta é a oportunidade perfeita para nos colocar em julgamento, enquanto estamos presas aqui neste lugar. Pelos deuses, elas vêm nos ameaçando há séculos! E, agora que Circe faz parte do time delas, não poderemos contar com ela para nos defender. Nós precisamos nos defender! Nós precisamos estar prontas!

Ruby e Martha olharam para Lucinda, com lágrimas nos olhos esbugalhados.

— Circe não faz parte do time das fadas!

— Claro que faz! — vociferou Lucinda. — Ela se voltou contra nós pelo amor da Babá e de sua horrível irmã, a Fada Madrinha. Elas lhe pediram que fosse uma fada dos desejos honorária. Nossa Circe, uma fada honorária! Depois de tudo o que elas fizeram para Malévola? Como tal ideia poderia sequer passar pela cabeça de Circe? Ela é uma bruxa! Favorecida pelos deuses e concebida por nós três. De maneira nenhuma deixarei que ela seja contaminada pelas fadas. E não há como eu permitir que elas usem nossa filha enquanto nos julgam. Não posso acreditar que vocês estejam satisfeitas em simplesmente esperar! Esperar? Vocês perderam o juízo? O que aconteceu com vocês, minhas irmãs?

Ruby e Martha olharam para Lucinda timidamente, afinal respondendo:

— *Você* foi o que aconteceu com a gente!

— Que loucura é essa? O que foi que eu fiz?

— Você disse que devemos tentar ser bruxas melhores por Circe. Agora quer matar todo mundo que ela ama! — Ruby disse.

Martha entrou na conversa.

— Você insistiu que falássemos adequadamente, parássemos de nos intrometer e tomássemos todas as decisões com a Circe em mente.

Ruby assumiu novamente.

— Você disse que fazê-la feliz seria a única maneira de recuperá-la, Lucinda! E nós a queremos de volta! Nós a queremos de volta!

Martha se juntou e fez coro com a irmã.

— Nós a queremos de volta! — Ruby e Martha bateram os pés, girando em círculos e rasgando seus vestidos manchados de sangue, a voz de ambas ficando mais alta a cada volta. — Nós a queremos de volta! Nós a queremos de volta!

Lucinda cerrou os punhos diante do comportamento das irmãs.

— Parem com isso agora mesmo! Chega desse teatrinho!

Ela ficou parada lá, olhando para as irmãs histéricas com os vestidos arruinados, esfarrapados e rasgados, mal cobrindo seus corpos magros e frágeis. Ela nem ao menos tinha o poder de lhes dar algo decente para vestir. Até a pessoa mais insignificante e não mágica da Terra dos Sonhos tinha o poder de trocar de roupa, mas Circe tirara tudo delas. Incluindo sua dignidade.

Ainda assim, Lucinda sabia que suas irmãs estavam certas. Ela *havia* dito aquelas coisas. Como iria fazer Ruby e Martha entenderem que era hora de mudarem seus métodos? Hora de serem as bruxas poderosas que elas eram? Finalmente, era hora de deixar a Terra dos Sonhos e reivindicar seu lugar de direito em suas próprias terras. Mas Lucinda não sabia se suas irmãs estavam prontas para ouvir a verdade, então, guardou-a para si mesma. Suas irmãs sempre haviam sido frágeis, entretanto, ela temia por sua sanidade agora mais do que nunca.

Ela escondera um segredo delas a vida inteira. Contar agora certamente seria quase um desastre. Era um segredo que ela esperava que Circe não descobrisse. Por mais que amasse suas irmãs, ela sabia que a força de vontade delas era fraca demais para guardar algo assim só para si mesmas. Ah, elas sabiam parte da história. Mas não sabiam a parte mais importante, e isso poderia destruir a todas elas se a filha descobrisse. E era por isso, mais do que tudo, que precisavam sair daquele lugar. Elas precisavam destruir a biblioteca de Gothel.

— Irmãs, ouçam, eu sou a mais velha. Preciso que confiem que eu sei mais do que vocês.

Suas duas irmãs começaram a rir.

— Oh, Lucinda sabe mais! — cacarejou Ruby a Martha. — Lucinda sabe mais! Você ouviu isso?

— Irmãs, por favor. Usem toda a força de vontade e tentem me ouvir! É importante!

Mas Ruby e Martha continuaram zombando da irmã com sua cantoria.

– Lucinda sabe mais, Lucinda sabe mais!

Sem sua magia, Lucinda foi obrigada a colocar as mãos nas irmãs, pegando-as firmemente pelo pescoço e levantando-as para balançá-las como bonecas de pano indefesas.

– Parem com isso imediatamente e me ouçam!

A sala começou a estremecer e sacudir, fazendo os espelhos vibrarem e se curvarem até quase se partirem. Lucinda soltou as irmãs no chão, onde Martha se agarrou a Ruby com medo.

– O que está acontecendo? Lucinda, pare! Nós vamos ouvir você!

– Oh, Lucinda, nos desculpe! Por favor, pare com isso!

Lucinda ficou rígida, considerando silenciosamente o quarto. Considerando os espelhos. Algo estava errado. Ela procurou em cada espelho pela bruxa que ela tinha certeza de que estava escondida atrás deles.

A sala continuou a tremer.

– Lucinda, por favor! – Ruby e Martha se agarravam uma à outra. – Nós prometemos fazer o que você disser! Não quebre nossos espelhos, é tudo o que temos!

– Isso não é magia minha, suas tolas. Nós não temos magia aqui! Agora, para trás! Atrás de mim, agora!

Lucinda empurrou as irmãs para trás e estendeu os braços. Ela silvou:

– Revele-se agora, bruxa!

Os espelhos na câmara tremeram, enchendo-se de chamas verdes.

– É Malévola! – gritou Ruby. – Ela está de volta! Ela encontrou o caminho para sair da escuridão! Cruzou o véu da morte sem a nossa ajuda! Oh, eu sabia que ela era forte!

As chamas cresceram, tão brilhantes e quentes que pareciam prestes a saltar dos espelhos para a própria câmara. Então, um rosto apareceu das labaredas, refletido em todas as superfícies. Era pálido, com grandes e bonitos olhos escuros. Ela parecia estar exatamente como as irmãs esquisitas se lembravam dela, tantos anos antes.

Não era Malévola.

— É Grimhilde! — as três irmãs exclamaram ao mesmo tempo.

— Olá, bruxas infames. — Sua voz ecoou em todos os espelhos da câmara.

Ruby e Martha giraram em círculos, tentando descobrir qual dos muitos reflexos era a verdadeira Grimhilde e quais eram ilusões.

— Irmãs! Ela está ali — disse Lucinda, apontando para o espelho diretamente à frente delas.

A velha Rainha Grimhilde parecia mais marcante do que Lucinda se lembrava.

Fria. Enérgica. Linda.

Lucinda se perguntou se prendê-la no espelho, como fizeram com o pai antes dela, era uma punição. Agora ela era eternamente jovem e bonita, e de certa forma mais forte do que Lucinda se lembrava.

— Como você entrou na Terra dos Sonhos?

A pergunta de Lucinda fez Grimhilde rir.

— A magia é sua, Lucinda. Você lançou o feitiço que me prendeu no mundo dos espelhos. E, mesmo assim, não sabe como eu consigo aparecer diante de você?

Lucinda se perguntou se Grimhilde se daria conta de que já não estava mais submetida ao feitiço. De repente, sentiu-se envergonhada de sua roupa esfarrapada e manchada de sangue diante da rainha. Desejava muito não estar presa na Terra dos Sonhos, impotente, apenas com suas irmãs sem graça. Ela ansiava por estar em suas próprias terras, onde governariam como rainhas. Em vez disso, estava na terra dos espelhos e da loucura, conversando com a velha Rainha Grimhilde. O que a rainha pensava delas, presas naquele lugar, com uma aparência tão assustadora?

Maldita Circe por tirar nossos poderes! Nós somos impotentes sem eles e nossos espelhos!

Então, quando percebeu algo, ela riu.

— Os espelhos! Circe, a bruxa mais inteligente e poderosa de todos os tempos, esqueceu-se de encantar os espelhos da Terra dos Sonhos a fim de que Grimhilde não pudesse entrar!

A risada de Lucinda ecoou por toda a câmara.

A rainha malvada estreitou os olhos para Lucinda.

— Você não está nem um pouco interessada em saber por que vim aqui, ou está satisfeita em ficar aí e rir até eu ficar entediada e ir embora?

— Eu sei exatamente por que você está aqui, bruxa. Está aqui por vingança.

Ruby e Martha gritaram.

— Não é justo! Nós não temos nossos poderes! Não temos como nos defender! Não é justo! Não é justo!

Grimhilde balançou a cabeça.

AS IRMÃS ESQUISITAS

— Acalmem-se. Não vou lhes fazer mal, embora, por direito, eu devesse. Estou aqui porque preciso da ajuda de vocês.

As irmãs ficaram em silêncio. Seus olhos se arregalaram com o choque. Não sabiam o que responder. Elas simplesmente ficaram ali, retorcendo-se e gaguejando, as três atordoadas.

— É óbvio que cometi um erro vindo aqui. Vocês estão ainda mais insanas do que a última vez que as vi. — Grimhilde riu e continuou: — Mesmo se eu estivesse aqui por vingança, não seria capaz de usar minha magia contra vocês. Não como vocês estão agora. Indefesas, esquecidas e confusas. Você são patéticas.

— Como você se atreve...

Grimhilde a interrompeu.

— Como eu me atrevo? Como *vocês* se atrevem? Vocês destruíram a minha vida! Planejaram que eu matasse a minha própria filha! E agora a filha de vocês, a sua Circe, tirou a Branca de Neve de mim! Minha pobre Branca de Neve, cujos pesadelos ainda estão cheios de visões de vocês! Eu deveria destruir vocês aí mesmo onde estão! — Os olhos da bruxa estavam transtornados. — Mas vim até vocês em busca de ajuda. Depois de tudo o que Malévola me contou sobre vocês, eu pensei... bem, não importa o que pensei. Vejo que cometi um erro vindo aqui. Vocês estão perdendo a razão. Ouso dizer que já perderam! Qualquer desejo de vingança que eu pudesse ter contra vocês não seria nada comparado ao tormento que estão sofrendo aqui, presas sem sua filha nessa perpétua loucura. É exatamente o que vocês merecem.

Grimhilde virou-se, movendo-se mais para as profundezas do espelho, onde quase desapareceu nas chamas verdes bruxuleantes.

— Não! Grimhilde, espere!

— Sim, Lucinda? — A Rainha Má fez uma pausa e olhou por cima do ombro.

— O que você quer de nós?

A rainha suspirou. Pareceu tomar uma decisão e virou-se para as irmãs.

— Quero que vocês me ajudem a trazer a Branca de Neve de volta. Quero um feitiço para ligá-la a mim. Estou disposta a fazer qualquer coisa em troca.

Dava para Lucinda ver que Grimhilde estava sendo sincera. Ela sentia seu desespero. Sentia isso quase tão intensamente quanto o seu próprio anseio por sua filha.

— Entendi — disse Lucinda. — E onde está sua filha agora?

— Ela está com Circe, entre as fadas.

— Ah, ela está, é? Bem, nós temos um plano para as fadas — disse Lucinda com voz calma e firme.

— Um plano que podem pôr em prática da Terra dos Sonhos? — Grimhilde perguntou com uma pitada de ironia na voz, enquanto olhava ao redor da pequena câmara.

— Com a sua ajuda — Lucinda respondeu, sorrindo.

— E prometem que minha filha não será prejudicada?

— Nós prometemos que nenhum dano será causado à sua *filha*.

— Estão dispostas a se comprometer com essas palavras, pelo sangue e pela magia? — a velha rainha perguntou, fitando-as com os olhos apertados, como se isso fosse ajudá-la a ver se estavam dizendo a verdade.

Lucinda sorriu para as irmãs, que sorriram de volta para ela, concordando.

— Nós nos alegraremos em fazer esse juramento.

— Então, digam-me o que precisam que eu faça!

— Precisamos que encontre um dos pássaros da Malévola — respondeu Lucinda.

— Acho que posso fazer isso — disse Grimhilde com um sorriso perverso que as irmãs esquisitas reconheceram.

Era o mesmo sorriso que tinham visto no rosto dela depois de ter bebido a poção que haviam lhe dado anos antes, no dia em que ordenou ao caçador que matasse Branca de Neve. Lucinda ficou satisfeita ao ver que Grimhilde não perdera o ódio; estava ardendo dentro dela como o fogo de Hades.

Lucinda não sabia se podia confiar em Grimhilde, mas, talvez, uma aliança com ela lhes trouxesse a única coisa que ambas desejavam mais do que vingança.

Suas filhas.

CAPÍTULO II

DEPOIS DO FIM

Branca de Neve e Circe estavam lendo o livro de contos de fadas enquanto viajavam dentro da casa das irmãs esquisitas. Elas haviam ficado presas lá desde que a casa as levara ao seu local de origem, um lugar conhecido como o Começo.

Muito do folclore que cercava a casa das irmãs era um mistério. Havia segredos escondidos dentro de suas paredes e estantes e mergulhados em seu próprio âmago. Um desses segredos era sobre onde a casa tinha sido criada. As bruxas introduziram uma proteção contra falhas na ocasião em que a casa foi construída. Se alguma coisa acontecesse a elas, a casa levaria seus habitantes ao local onde havia sido criada. As irmãs queriam ter certeza de que seus segredos estariam seguros, caso elas corressem algum risco enquanto estivessem longe de casa.

E foi exatamente o que aconteceu: Circe e Branca de Neve estavam dentro da casa quando as irmãs esquisitas foram para a Terra dos Sonhos, e a casa as levou para um lugar fora dos muitos reinos.

O Começo era uma paisagem celeste cheia de estrelas e constelações em espiral. Encontravam-se presas e não tinham ideia de onde estavam ou de como escapar. Então, elas se ocuparam lendo o livro de contos de fadas e os diários das irmãs esquisitas. Pensaram que talvez pudessem encontrar nos diários as respostas que as levariam de volta. Estavam muito preocupadas com todos no Reino Morningstar depois da batalha contra Malévola! Mas logo elas se distraíram lendo a história de Gothel no livro de contos de fadas. Elas não conseguiam acreditar no quanto as irmãs estavam envolvidas.

Circe ficou tão zangada com suas mães que ela lhes tirou seus poderes.

E, então, sem explicação, a casa as libertou do Começo.

Com a súbita liberdade de viajar para onde seus corações as conduzissem, Circe e Branca de Neve queriam se certificar de que todos os que leram na história de Gothel estivessem seguros.

Primeiro, sua jornada levou-as até Rapunzel, onde elas viram seu final feliz com os próprios olhos. Depois, elas viajaram para checar como estava a Sra. Tiddlebottom, uma querida velhinha que cuidou de Rapunzel quando ela era muito nova e que agora cuidava dos corpos das irmãs de Gothel, Hazel e Primrose. Uma vez satisfeitas por todos na história de Gothel estarem seguros, Circe e Branca de Neve voltaram para o Reino Morningstar, no rescaldo de sua batalha com Malévola, para ver como Babá, Tulipa e Oberon estavam se saindo.

Embora o que descobriram ao ler a história de Gothel no livro de contos de fadas ainda estivesse em suas mentes, seus corações estavam em Morningstar. Enquanto Circe e Branca de Neve viajavam, leram o final da história de Malévola novamente, justo quando as duas estavam começando sua própria aventura.

Babá estava parada entre as ruínas do Castelo Morningstar. A Fada Madrinha havia enviado as boas fadas para ajudar o Príncipe Felipe a lutar contra o dragão e ficou para trás para ajudar sua irmã a reparar os danos a Morningstar e cuidar dos ferimentos de todos após a terrível batalha com Malévola.

— Obrigada por sua ajuda, irmã — Babá disse com sinceridade.

A Fada Madrinha beijou sua irmã na bochecha.

— O prazer é meu, querida. Você e eu já reparamos estragos muito piores em nossa época. Estou feliz que ninguém no castelo tenha sido seriamente ferido.

Babá olhou em volta, tentando encontrar Tulipa.

— Está procurando a princesa Tulipa? — a Fada Madrinha perguntou. — Ela está com Popinjay. Estão fazendo o que podem para ajudar o exército de Oberon. Ele perdeu muitos amigos em sua batalha contra Malévola.

Babá ficou de coração partido. Tudo se transformara em ruínas e a Fada Madrinha podia ver a dor estampada no rosto de sua irmã.

— Não se aflija, minha querida. Você realmente fez tudo o que pôde por Malévola. Lamento por nunca ter ajudado você. Talvez se eu tivesse...

Babá abraçou a irmã.

— Não vamos falar disso agora. Conheço seu coração. Eu sei.

E ela chorou. Chorou mais do que nunca. Ela havia perdido muito. Perdera Malévola e não sabia como encontrar Circe, que estava viajando para lugares desconhecidos na casa mágica das irmãs esquisitas.

— Você tem a mim. Você sempre terá a mim — sua irmã a lembrou. — Fale com a Pflanze. Ela provavelmente sabe mais sobre os mistérios que cercam aquela casa do que qualquer outro. Tenho certeza de que Circe e Branca de Neve encontrarão o caminho de volta em segurança, antes que percebamos.

— Você provavelmente está certa, irmã. É melhor eu ajudar Tulipa com os Senhores das Árvores. Talvez eu possa curá-los com minha magia — disse Babá ainda parecendo muito preocupada.

A Fada Madrinha achou que era um bom plano.

— Ficarei aqui e consertarei o castelo...

E, antes que ela pudesse concluir o pensamento, uma magnífica libélula apareceu com uma mensagem das Terras das Fadas.

— O que é isso? — A Fada Madrinha abriu o pergaminho e leu. — É de Primavera. Ela diz que Aurora acordou. O Príncipe Felipe quebrou a maldição.

Ela olhou para a irmã, sabendo que as boas-novas também traziam mágoa.

Babá balançou a cabeça.

— Não, estou feliz pela princesa e pela corte do Rei Estevão. Tenho certeza de que as boas-novas trouxeram amor e luz a todos no reino, e estou muito contente que a princesa será feliz! Ela merece.

A Fada Madrinha puxou a irmã para seus braços.

— E, de certa forma, Malévola finalmente está feliz. Ela vive em sua filha, Aurora.

Babá achou que sua irmã estava certa. Isso, pelo menos, trouxe paz a ela. Por ora. Até que ela desviasse a atenção para outros assuntos. Mas, naquele momento, estava feliz que a princesa tivesse vivido para encontrar o amor verdadeiro com seu príncipe. E Babá encontrou consolo no fato de que Malévola iria, de certa forma, viver em Aurora.

Mesmo que as histórias e livros de contos de fadas deixassem essa parte de fora, ela sabia. E isso era tudo que importava.

— Branca de Neve, pare de ler — disse Circe. — Isso está partindo meu coração. Além disso, estamos quase lá. — A bruxa olhou pela janela da cabana de suas mães enquanto voavam. — Olha, já estamos pertinho de Morningstar.

Branca pôs de lado o livro de contos de fadas e olhou para ela animadamente.

— Oh! Estamos? Babá ficará tão feliz em ver você!

Circe empoleirou a casa de suas mães nos penhascos de rocha negra que davam para o que outrora fora domínio da Bruxa do Mar, Úrsula. A vista do Castelo Morningstar da grande janela redonda da cozinha era uma visão surpreendente. Embora o Farol dos Deuses permanecesse intocado pela grande guerra entre Malévola e os Senhores das Árvores, o castelo estava em péssimo estado. As ameias que antes encaravam os penhascos haviam desmoronado, encontrando-se agora amontoadas na base do castelo, como gigantes lápides quebradas. Duas das torres estavam completamente destruídas, incluindo a que havia abrigado os aposentos de Tulipa. A visão provocou calafrios no coração de Circe.

— Bem — ela disse calmamente, absorvendo o estrago enquanto preparava chá para sua prima —, pelo menos estávamos esperando isso. E Babá disse que Tulipa estava a salvo, certo?

Branca de Neve estava acomodada em uma pequena namoradeira de veludo vermelho com uma pilha de cartas no colo, olhando pela grande janela redonda.

— As cartas da Babá e o livro de contos de fada dizem que Tulipa está bem, e que ela e a Fada Madrinha estão trabalhando para consertar os danos do castelo.

Circe levantou os olhos da bandeja de chá e bolos que segurava e sorriu para sua prima.

— Obrigada por ler todas essas cartas e livros. Tem certeza de que não ficaria mais à vontade em seu próprio lar, no castelo?

— Já está tentando se livrar de mim? — perguntou Branca de Neve, piscando para a prima.

A doce bruxa pousou a bandeja na mesinha e correu para sua querida prima.

— Claro que não! Estou tão feliz por você estar aqui! Mas estou preocupada que fique entediada recolhida na casa enquanto eu estiver no castelo. Sei que pode parecer superproteção, mas Babá realmente acha que você estaria mais segura aqui do que no castelo, com os corpos das minhas mães ainda no solário.

Branca de Neve sorriu.

— Compreendo. Eu tenho o livro de contos de fadas e todas essas cartas para me manter ocupada. Além disso, não estou pronta para voltar à minha antiga vida. Ainda não.

Branca de Neve riu da pilha de cartas.

— Aquela pobre coruja. Babá deve ter mantido a ave ocupada enquanto não conseguia nos alcançar. Ao que parece, ela enviou várias cartas por dia enquanto estávamos naquele lugar estranho e bonito.

— O Começo — Circe a lembrou. — Há tanta coisa que não sei sobre as minhas mães ou sobre esta casa! Eu me pergunto se o feitiço de proteção contra falhas foi revertido quando tirei seus poderes...

Branca de Neve sorriu para a prima.

— Bem, é por isso que estou aqui, para ajudá-la em sua pesquisa. Você nem teve tempo de processar tudo o que aconteceu com Gothel, muito menos com Malévola. Há algumas coisas que suas mães disseram que estou achando realmente curiosas, e quero saber mais. E sei que não há nada que você desejasse mais do que ler estes livros, mas não pode estar em dois lugares ao mesmo tempo. Pelo menos, acho que você não pode — Branca de Neve disse, lançando a Circe um olhar brincalhão. — Então, por favor, deixe-me ajudá-la. Fico feliz em fazê-lo, de verdade.

Circe serviu à prima uma xícara de chá e observou-a tomar um gole.

— Sabe? Essa xícara costumava ser sua. Eu li no diário de Lucinda — informou Circe.

Branca de Neve examinou a xícara mais de perto e sorriu.

— Pensei a mesma coisa! Supondo que suas irmãs... quer dizer, *mães*, tenham tirado isso de meus pais muitos anos atrás, não é?

Circe assentiu.

— Ainda estou tentando descobrir o que elas estavam fazendo com todas essas xícaras. Acha que poderiam ser apenas lembranças de seus erros ou será que há algo mais sinistro envolvido?

As irmãs esquisitas

— Na verdade, acho que li algo sobre as xícaras na história de Malévola. Você quer que eu...

Antes que sua prima pudesse terminar, Circe arrancou a xícara das mãos dela e a atirou do outro lado da sala. O objeto se espatifou contra a parede.

— Circe! — Branca de Neve ficou chocada. — Circe, por favor, acalme-se!

A bruxa segurou as mãos de Branca de Neve, apertando--as com força.

— Oh, meu Deus, sinto muito, Branca de Neve. Não sei o que aconteceu comigo. Acho que estou muito mais zangada com as minhas mães do que eu tinha me dado conta.

— Eu entendo, doce Circe, realmente entendo. Mas, por favor, vá ver Babá, ela está tão preocupada com você, e acho que será bom vê-la. Prometo que vou ficar bem aqui. Quero ler o resto do livro de contos de fadas em paz.

— Você está certa. Eu sinto muito. Acho que ver Babá vai ajudar. — Ela colocou a mão na face de sua prima. — Minha querida Branca de Neve, será que eu deveria ter levado você para casa depois de verificarmos como estavam a Sra. Tiddlebottom e suas protegidas? Será que não pedi muito de você? Seu marido já não deve estar preocupado?

Branca de Neve beijou a prima na bochecha.

— Não, Circe. Meu querido e doce marido entende. Ele nunca se sentiu confortável por eu estar tão próxima da minha mãe, e acho que está feliz por eu estar encontrando minha independência sem ela.

Circe ficou feliz em ouvir isso.

— Vou encantar a casa enquanto estiver no castelo, Branca de Neve. Ninguém conseguirá entrar. Eu prometo, você estará segura. E, se precisar de mim, para qualquer coisa, pode entrar em contato comigo através do espelho de mão. – Ela fez uma pausa, preocupada. – Tem certeza de que ficará bem aqui sozinha? Talvez eu devesse tentar convencer Babá de que não há problema você ir comigo para o castelo.

Branca de Neve sacudiu a cabeça.

– Não, eu compreendo perfeitamente. Mesmo. Babá acha que vou ficar mais segura aqui. Eu entendi, Circe. Por favor, não se preocupe.

A bruxa sorriu para sua prima novamente. Pensou como era bela a alma de Branca de Neve. Quem mais teria abandonado toda a vida para embarcar nessa empreitada com ela? Quem mais teria se aventurado em terras distantes para verificar como estão as irmãs de uma terrível bruxa sequestradora de crianças ou visitar uma mulher idosa e confusa obcecada em assar bolos de aniversário? Embora Branca de Neve fosse muito mais velha do que Circe, às vezes, parecia que ela era apenas uma garotinha. Havia uma jovialidade nela que Circe achava absolutamente encantadora. Uma gentileza que ela sentia que não merecia, não depois de tudo que suas mães fizeram a Branca de Neve anos antes. Ela provou ser uma mulher maravilhosa com um coração misericordioso. Uma mulher que podia perdoar até a própria mãe por tentar matá-la.

– Sabe de uma coisa, Branca de Neve? Eu realmente amo você – disse Circe.

– E eu também amo você, Circe.

As duas se abraçaram demoradamente. A doce bruxa não queria abandonar Branca de Neve.

— E se você descobrir alguma coisa importante no livro de contos de fadas, vai me contar?

Branca de Neve estava com o livro na mão. Ela olhou para baixo.

— Claro que vou. Agora vá e mande lembranças minhas a Babá.

Com um beijo em Branca de Neve e um encanto protetor na casa, Circe partiu para o castelo.

Enquanto viajava, Circe não pôde deixar de sentir que seu coração ainda estava com Branca de Neve. Ela olhou para trás, para o contorno da casa de suas mães recortado contra as ondas que se quebravam. Com o telhado pontudo como um chapéu de bruxa, seu tom verde-escuro e persianas pretas, aquele era o último lugar onde você esperaria que uma princesa vivesse. Circe riu, perdida em pensamentos e na beleza da paisagem. Ela sentira saudades de Morningstar, com seu brilhante farol e mar cintilante. Então, quando se aproximou do castelo, seu coração saiu do compasso: Circe avistou Babá e sua irmã, a Fada Madrinha, ao longe, do lado de fora dos portões. Pareciam estar falando sobre algo importante. Ela acelerou o ritmo, mas uma voz que ela não esperava ouvir a assustou.

Olá, Circe.

Ela se virou, imaginando de onde a voz tinha vindo. Então, algo macio roçou suas pernas.

Era Pflanze. A bela e telepata gata das irmãs esquisitas, com sua pelagem tricolor em tons de laranja, preto e branco.

– Pflanze! – Circe gritou de alegria, embora parecesse que Pflanze não estava tão feliz assim com o encontro. Ela apenas olhou para a bruxa com os olhos apertados, deslocando seu peso de uma pata branca de marshmallow para a outra.

Até onde Circe conseguia se lembrar, Pflanze sempre estivera lá. Quando Circe era mais jovem, a gata era quase como outra irmã para ela. A irmã mais equilibrada da casa. A mais sábia e a mais misteriosa. Havia muito mais em Pflanze do que Circe já suspeitara. E estava tudo nos diários de suas mães. A bruxa sempre sentiu que ela e Pflanze se entendiam muito bem. Mas, naquele dia, algo parecia diferente.

Estou tão desapontada com você, minha menina, disse a gata. *Mas não há tempo para discutir meu coração partido. Preciso voltar para suas mães. Elas estão esperando você. Nós todas estamos.* Pflanze lançou-lhe um olhar de desaprovação.

– Eu sei, Pflanze, sinto muito. Eu estava presa no Começo.

Pflanze piscou e disse:

Então, quer dizer que a casa levou você para o local de sua criação, e você tirou os poderes de suas mães para sair de lá?

Circe não entendeu o que a gata quis dizer.

– Claro que não, Pflanze! Como eu ia saber que tirar os poderes de minhas mães nos libertaria do Começo?

Então, a altiva Circe tirou os poderes de suas mães por razões nobres. Entendo. Bem, há muito mais coisas que você precisa saber. Quando tirou os poderes de suas mães, todos os feitiços que elas já haviam lançado foram quebrados, incluindo a proteção contra falhas da casa. É por isso que você foi capaz de retornar aos muitos reinos. Temos muito o que conversar, Circe. Há muito que você precisa saber, e nem tudo está nos diários e no livro de contos de fadas que a Branca de Neve está lendo agora. Se suas mães soubessem que ela está na casa delas, tocando suas coisas... Faz alguma ideia de como elas ficariam bravas, Circe?

Circe estava pouco se importando com o que suas mães pensavam.

Ah, isso é muito gentil da sua parte, Circe, disse Pflanze sarcasticamente.

Circe sempre achou que ela e Pflanze sentiam-se iguais em relação a Lucinda, Ruby e Martha. É claro que a gata as amava, mas ela se lembrava de momentos em que Pflanze ficava tão cheia do teatrinho das irmãs esquisitas que passava dias fora de casa para ficar longe delas. Agora, parecia que Pflanze era mais leal a elas do que nunca.

Eu sempre fui fiel às suas mães, Circe. Sempre. Muito antes de você existir. Não se esqueça disso. Eu vi pelo que elas passaram para trazer você de volta. Eu as vi se deteriorarem até se tornarem o que são, tudo por amor à sua preciosa Circe. Acha que elas destruíram a todos em seu caminho? Acha que elas são criaturas assassinas? Bem, eu posso dizer o mesmo de você. Você fez isso com elas. Sua vida trouxe tudo isso. Se não há nada de bom dentro delas, é porque elas deram tudo de bom para você. Lembre-se, Circe, você e elas são uma só. Machucá-las seria como machucar a si mesma.

Circe não sabia o que dizer. As palavras de Pflanze a feriram profundamente, ameaçando partir seu coração em pedacinhos. Parecia um dos espelhos de suas mães; a cada mágoa havia outra rachadura no espelho, e ela se perguntou quanto tempo demoraria até que se quebrasse completamente. Quanto tempo até cortá-la em suas entranhas como Grimhilde, conforme descrito no livro de contos de fadas.

— Sabe por que elas odeiam a Branca de Neve? — ela perguntou.

Pflanze ajustou as patas, lançando a Circe um dos seus olhares característicos. A bruxa podia sentir que Pflanze estava surpresa por ela não ter concluído isso sozinha.

A animosidade nunca foi realmente contra Grimhilde, não até que suas mães fossem escoltadas para fora da celebração do solstício, humilhando-as na frente de toda a corte. Foi nessa ocasião que o ódio foi de Branca de Neve para Grimhilde. Elas sempre odiaram a pequena pirralha.

— Não a chame assim!

Pflanze viu além da raiva de Circe. Ela viu dentro de seu coração.

Você não tem ideia de por que suas mães queriam se livrar da Branca de Neve! Por que elas ainda querem vê-la morta... O que você fez o tempo todo em que ficou presa no Começo, se não leu os diários de suas mães? Você não sabe nada das mulheres que condenou à solidão.

— Gostaria de vir comigo para o castelo, Pflanze?

A gata não respondeu. Seu silêncio feriu o coração de Circe.

— E quanto aos corpos das minhas mães? Você está tão zangada comigo a ponto de deixá-los sozinhos e indefesos no solário para vir até mim me criticar?

Pflanze não respondeu.

— Deixa pra lá. Mas não pense que esta conversa terminou.

Ah, acho que sim. Se quer saber por que suas mães odeiam Branca de Neve, diga à rainha pirralha para procurar nos diários de suas mães. Imagino que ela encontrará a resposta na seção dedicada a Grimhilde. Suponho que você esteja com um dos espelhos de suas mães no bolso para poder contatar a rainha pirralha, não é?

— Estou, sim.

Entendo. Então não se opõe a usar a magia de suas mães quando lhe convém. Acha que está ajudando Branca de Neve mantendo-a trancada em casa? Deixando-a sozinha com apenas um espelho para consolo e comunicação? Isso não soa exatamente como a vida da qual você está tentando salvá-la?

Pflanze correu na frente antes que Circe pudesse responder, deixando-a desesperadamente triste e sozinha. Ela sempre pensou que poderia contar com Pflanze, mas estava claro que algo dentro da gata havia mudado.

Circe sentia saudade de Branca de Neve. Elas estavam juntas desde que a casa de suas mães as levara para o Começo. Parecia uma vida inteira, mas tudo acontecera em questão de dias. Ela se sentira tão longe de Morningstar, de Tulipa e Babá quando estava lendo sobre elas, em vez de estar lá para ajudá-las durante a crise causada por suas mães. E, nesse momento, Circe percebeu o quanto sentia falta e dependia de Babá. O quanto ela a amava. Sentia-se mal por deixá-la sozinha para lidar com tudo isso e não suportava que Babá ficasse aborrecida com ela. Ela a viu ao longe, e seu coração queria desesperadamente estar com a velha amiga.

E, antes que entendesse o que aconteceu, ela se viu magicamente transportada para os braços de Babá e coberta de amor e carinho.

— Oh, minha querida menina, sinto muito por ter magoado seus sentimentos quando achei que seria melhor se suas mães ficassem na Terra dos Sonhos. Sabe que eu só queria proteger você! — disse Babá com lágrimas nos olhos, beijando Circe repetidas vezes, segurando o rosto dela entre suas mãos inacreditavelmente macias.

— Eu também sinto muito! Me desculpe por ter deixado você sozinha, Babá. Vejo as coisas muito mais claramente agora. Sei que alguma coisa precisava ser feita a respeito de minhas mães. Sei que você só estava preocupada comigo! Sinto muito por ter partido assim, deixando você sozinha para lidar com Malévola. Será que um dia poderá me perdoar?

Babá olhou nos olhos tristes de sua protegida.

— Oh, minha querida menina, não há nada para perdoar. A casa levou você embora. Você não escolheu partir. E o mais importante: o que foi esse delicioso avanço em suas habilidades?

— O que você quer dizer? Eu me teletransportei? — Circe perguntou, percebendo a expressão preocupada no rosto de Babá. — Eu achei *você* tivesse me trazido aqui, do outro lado do campo.

Babá balançou a cabeça.

— Não, minha querida, isso foi totalmente obra sua. E não acho que tenha sido teletransporte.

Circe piscou, confusa. Mas tudo em que ela conseguia pensar agora era como estava feliz por ver sua querida Babá, que parecia nunca mudar. Mesmo na esteira da morte da Fada das Trevas e na quase destruição do Castelo Morningstar, seus olhos brilhavam cheios de vida e de amor por Circe.

— Oh, minha querida, estou tão feliz por você estar aqui! Quero ouvir tudo sobre suas aventuras com Branca de Neve, e o que descobriu quando leu a história de Gothel – disse Babá.

Mas, antes que Circe pudesse responder, elas foram distraídas pela Fada Madrinha, gritando ao longe.

— Irmã! Irmã! — ela choramingou em aflição. — Temos que ir! Temos que ir!

A Fada Madrinha cambaleava na direção delas, completamente desnorteada. Dava vários passos em uma direção, mudava de ideia e saía na outra direção, para a frente e para trás.

— Ela está bem? O que aconteceu? — Circe perguntou a Babá.

Babá e Circe correram para o jardim, onde a Fada Madrinha tremia e se atrapalhava com uma carta que acabara de ler.

— Irmã! Qual é o problema? — Babá perguntou.

A Fada Madrinha olhou para cima, com o rosto cheio de terror.

— Oberon diz que temos razões para acreditar que as irmãs esquisitas estão tentando atrair Malévola do outro lado do véu da morte para lutar ao seu lado.

Circe sentiu o coração ser tomado de pânico.

— Elas podem fazer isso? Elas têm o poder de trazer pessoas de volta dos mortos assim?

Babá franziu o cenho.

— Não sei, minha querida. Não sei. É possível que tenham.

A Fada Madrinha pareceu notar a doce bruxa pela primeira vez.

— Oh! Circe, minha querida. Estou tão feliz por você estar a salvo! Minha pobre doçurinha! Depois de tudo pelo que passou!

Circe foi envolvida nos braços da Fada Madrinha. Ela não esperava que seu abraço se parecesse tanto com o de Babá. Que a fizesse sentir-se confortada e amada da mesma forma. De repente, ela se sentiu comovida. Lucinda, Ruby e Martha sempre a amaram. Amavam-na desesperadamente. Amavam-na demais. Esse amor, o amor que ela sentia de

Babá e de sua irmã, era algo bem diferente. Era puro. Não estava contaminado por sacrifício, pela insaciável necessidade de protegê-la a qualquer custo. E Circe se perguntou se ela era digna disso.

— Venha, minha querida. Vamos sentar — disse Babá, levando a jovem bruxa ao jardim do lado de fora do solário.

O solário era uma maravilha arquitetônica com janelões e um gigantesco teto abobadado. Grandes portas francesas levavam a um exuberante jardim cheio de rosas, glicínias, madressilvas e jasmins. O cheiro era tão doce e inebriante que deixou Circe zonza.

Uma vez no jardim, acomodaram-se confortavelmente debaixo de uma grande árvore carregada de delicadas flores cor-de-rosa e azuis.

— Não me lembro das flores desta árvore sendo dessas cores — refletiu Circe. — As flores não eram brancas?

Babá riu e revirou os olhos.

— Isso é obra das três fadas boas. Elas voltaram para ajudar depois do casamento de Aurora.

— Oh, elas ainda estão aqui? — Circe perguntou, apertando os olhos e procurando-as em torno do jardim.

Não sabia como se sentia tendo tantas fadas à sua volta. Já era bastante estranho estar na companhia da Fada Madrinha. A morte de Malévola ainda era tão recente... Branca de Neve estava certa. Ela não tivera tempo para processar adequadamente tudo o que havia acontecido. Circe sentia-se dividida a respeito das fadas. Se não tivessem sido tão cruéis com Malévola, talvez ela nunca houvesse destruído as Terras das Fadas nem teria sido forçada a pedir ajuda às irmãs esquisitas. Ela nunca teria criado Aurora nem se perdido no processo. E as mães de Circe... as mães intrometidas de Circe, se não tivessem manipulado e usado Gothel, então Gothel provavelmente estivesse governando a Floresta dos Mortos com suas irmãs agora. Tantas coisas seriam diferentes...

Minha querida, é muito mais complicado do que isso. Acalme sua mente. Não perca tempo pensando no que poderia ter sido.

Babá deu uns tapinhas na mão de sua protegida com ternura.

— As três fadas boas estão com Tulipa, Oberon e os Senhores das Árvores, fazendo o melhor que podem para curar os feridos.

Babá estava de olho em sua irmã e Circe, visivelmente preocupada com as duas. A jovem bruxa tinha tantas perguntas e havia muito a dizer, mas elas estavam sendo arrastadas para mais um dos dramas de suas mães, e sentiu que seria melhor descobrir o que realmente estava acontecendo antes que a Fada Madrinha tivesse outro chilique.

— Talvez possamos verificar suas mães na Terra dos Sonhos para ver o que elas estão fazendo, que tal? — perguntou Babá.

Circe tirou o espelho de mão do bolso. Ela temia vê-las naquele momento. Mas, se estivessem planejando tentar trazer Malévola do outro lado do véu da morte, isso a ajudaria em sua decisão. Ela estivera fazendo vista grossa por muito tempo em relação às suas mães. E era hora de pôr fim às suas gracinhas e truques.

— Mostre-me as irmãs esquisitas. — As palavras de Circe saíram arfantes.

Mas, em vez de mostrá-las, o espelho se encheu de conhecidas chamas verdes.

— Acha que suas mães conseguiram trazê-la de volta? — O rosto de Babá estava cheio de preocupação.

Nunca perdoarei minhas mães se elas arrastarem a pobre criatura de volta da morte. Isso irá partir o coração de Babá, pensou Circe, agarrando o espelho com tanta força que poderia tê-lo quebrado.

— Malévola — ela perguntou, sua voz tremendo —, é você?

— Não. — Um familiar rosto pálido com grandes olhos escuros apareceu nas chamas. — Eu não vi a Fada das Trevas no mundo dos espelhos. Acredito que ela tenha atravessado o véu da morte.

— Grimhilde! — Babá arrancou o espelho da mão trêmula de Circe. — O que você quer, *bruxa*?

— Minha filha, claro. Vou lhe dar um dia para devolvê-la para mim. Se ela não estiver de volta em segurança em seu próprio castelo amanhã, você sofrerá as consequências.

— Branca de Neve nunca irá perdoá-la se você fizer isso — sussurrou Circe.

— Como se atreve a falar por minha filha, você, que é fruto de malícia, insanidade, desgraça! Ouça-me bem: vou fazer chover o terror sobre suas cabeças se minha filha não voltar para mim. Você tem até amanhã!

O rosto da Rainha Má desapareceu nas névoas verdes, deixando as damas boquiabertas e assustadas.

CAPÍTULO III

Os Pecados de Nossas Mães

Branca de Neve estivera lendo o livro de contos de fadas desde que Circe partiu para o castelo, por isso, resolveu fazer uma pausa e preparar um pouco de chá. Estava relendo a história de Gothel, repassando algumas das coisas que as irmãs esquisitas haviam falado e que ela achava intrigantes. Coisas que elas disseram para Gothel sobre a mãe dela, Manea. Parecia haver mais por trás de suas palavras, o que muitas vezes parecia ser o caso quando se tratava daquelas irmãs, mas alguma coisa sobre o que Lucinda tinha dito a Gothel em seus últimos dias ressoou em Branca de Neve, e ela sentiu que havia um mistério a ser resolvido. Seus olhos estavam cansados das longas horas de leitura, e ela olhou para o sol que entrava pela janela redonda da cozinha, que dava para a macieira. Ela se perguntou se haveria de ser a mesma macieira da qual sua mãe havia arrancado a maçã que a fez dormir, tantos anos antes.

Branca de Neve.

Quase em pânico, a princesa se virou, procurando a origem da voz fantasmagórica. Poderia ela ter invocado sua mãe simplesmente por pensar nela? De repente, ela sentiu muito medo de sua mãe. Sentiu-se como uma garotinha novamente. Com medo e sozinha.

– Mãe?

Não, Branca de Neve, sou eu, Circe.

Seu coração desacelerou.

Branca de Neve olhou ao redor da sala em busca da origem da voz. E, então, ela encontrou. O rosto doce da prima apareceu no espelho, que estava em cima da mesa da cozinha.

– Ah, aí está você! Está tudo bem? – Branca de Neve perguntou, pegando-o.

Sim, querida. Está tudo bem. Estou apenas checando para ver como você está.

– Estou bem, Circe, de verdade. O que está acontecendo? Dá para ver que algo está incomodando você.

Então você não teve notícias da sua mãe? Você parecia assustada, Branca de Neve. O que aconteceu?

– Não é nada, querida prima, sério mesmo. Que história é essa sobre a minha mãe? Ela fez alguma coisa?

Não, querida. Eu só... Pensei ter ouvido você mencioná-la. Não se preocupe com isso. Sinto muito incomodá-la, temos um problema aqui e isso me deixou toda atrapalhada.

– Você não é um incômodo, Circe. Qual é o problema? Tem a ver com a minha mãe?

Não.

Branca de Neve podia ver que sua prima estava escondendo alguma coisa dela.

— Circe, sabe que eu amo você, mas não pode continuar me tratando como uma criança que precisa ser protegida. É assim que minha mãe me trata. Agora, por favor, me diga o que está acontecendo.

Circe suspirou.

Recebemos a notícia de que minhas mães podem pedir ajuda para tirá-las da Terra dos Sonhos, e estou preocupada, só isso.

A princesa sentiu que ia desmaiar. Apoiou a mão na mesa para se firmar e se sentou em uma cadeira.

— Como assim? Como elas vão sair? — Dava para ela ver que Circe parecia preocupada.

Oberon não disse. Estamos tentando obter mais informações. Mas, Branca de Neve, prometo que você está segura. Nós nem sabemos se é esse o plano. Elas podem estar apenas tentando comandar bruxas poderosas a fazerem o que mandarem lá da Terra dos Sonhos. Não temos certeza.

Branca de Neve podia ver que sua prima estava deixando algo de fora.

— Mas quem? Quem elas vão usar? Minha mãe?

A expressão de Circe mudou.

Duvido que Grimhilde ajudasse as minhas mães. Não, as fadas souberam que elas estavam tentando atrair Malévola de volta do outro lado do véu da morte para lutar ao seu lado contra as fadas. Acham que elas vão tentar trazê-la de volta aos vivos.

Branca de Neve sentiu uma sensação para lá de estranha. Uma sensação de que o que Circe estava dizendo não só era verdade, como também possível.

— Circe, desde que lemos a história de Gothel, tive uma sensação, uma suspeita que não compartilhei com você.

Do espelho, Circe encarou sua prima.

O que foi? Por que não me contou?

— Espere, deixe-me pegar o livro dos contos de fadas, é algo que li na história de Gothel.

Branca de Neve se levantou, depositando o espelho sobre a mesa. Ela pegou o livro e o trouxe de volta, abrindo-o na página que estava lendo antes. Mas a página parecia diferente. Branca de Neve engasgou de surpresa e segurou o livro diante do espelho para que a bruxa pudesse ver também.

Agora havia apenas uma única frase, que dizia: "Esta história ainda está sendo escrita".

— A página que eu estava procurando não está mais aqui! — ela disse, virando o espelho para poder ver a reação de Circe. — Foi substituída por essa frase! O que acha que isso significa?

Branca de Neve podia ver que Circe não sabia, e ela não queria distraí-la com todas as suas teorias enquanto sua querida prima estava lidando com a debacle de suas mães. De repente, ela se sentiu tola por levantar a questão e prometeu a si mesma lidar com aquilo sozinha.

— Circe, não se preocupe. Encontrarei as páginas com a parte da história que eu estava procurando e, quando tiver as informações, compartilharei com você. Agora, vá. Tenho certeza de que Babá e a Fada Madrinha estão ansiosas.

Circe suspirou.

Sim, temos que descobrir o que fazer com as minhas mães. E a última coisa que Babá precisa é de outra luta com sua filha adotiva, Malévola. Se é verdade que minhas mães planejam trazê-la de volta, eu nunca irei perdoá-las. Isso é tudo tão doloroso...

Branca de Neve assentiu.

— Vá, Circe, e se cuide. Eu ficarei bem aqui. Tenho muita coisa para ler.

Circe sorriu para a prima.

Obrigada, doce Branca de Neve. Eu te amo.

Ela podia ver o quanto Circe estava chateada.

— Eu também te amo, Circe. Vou contar para você se eu descobrir alguma coisa.

Mas Branca de Neve sabia que, provavelmente, não contaria nada. Não queria sobrecarregá-la com mais suposições malucas sobre as irmãs esquisitas até ter certeza.

Além disso, ela não achava que encontraria coisa alguma ainda, não até visitar a antiga biblioteca de Gothel. Desejou ter pensado a respeito quando foram ver como a Sra. Tiddlebottom estava, antes de retornar a Morningstar. Ela imaginou que teria que inventar uma razão para voltar lá sozinha.

CAPÍTULO IV

O DEVER DE UMA FADA

Circe encontrou Babá e a Fada Madrinha sentadas diante de um bule de chá na bela sala matinal iluminada pelo sol. As grandes portas duplas de vidro abriam-se para o jardim, que estava em plena floração. Babá interrompeu a conversa com a irmã e ergueu os olhos quando Circe entrou.

— Circe, falou com Branca de Neve? A mãe dela tentou contatá-la?

— Não, não acho que ela consiga. Encantei a casa para que ninguém pudesse entrar nos espelhos. Exceto eu mesma.

Ela sentou-se e serviu-se do chá e dos bolos que estavam lá, intocados. Ambas as fadas pareciam aflitas, suas sobrancelhas franzidas exatamente da mesma forma e, pela primeira vez, Circe notou as semelhanças entre as irmãs. Na verdade, fisicamente elas não pareciam irmãs. Entretanto, agiam como irmãs e compartilhavam alguns dos mesmos trejeitos. Contudo, havia algo mais. A jovem bruxa não conseguia identificar. Havia um vínculo entre elas que Circe não havia notado antes. Um laço que certamente se formara após a morte de Malévola.

— Você lhe disse que ela deveria voltar para o próprio reino? — perguntou Babá, enquanto Circe servia a bebida nas delicadas xícaras de chá estampadas com rosas.

Circe sacudiu a cabeça. A verdade era que ela sentira-se tentada a fazê-lo, mas simplesmente não conseguia mandar Branca de Neve de volta à sua antiga vida. Não até que sua estimada prima estivesse pronta. Queria que ela enfrentasse sua mãe possessiva como uma mulher mais forte. E agora, mais do que nunca, queria mantê-la por perto, já que sabia que o ódio de suas mães fora originalmente dirigido a Branca de Neve, antes que Grimhilde desviasse suas atenções.

— Eu sabia que era uma ideia terrível trazer aquela menina para cá — disse Babá com a mão tremendo, derramando o chá por toda a toalha da mesa.

— Ela não é uma menina, ela é uma mulher adulta! E o que você quer que eu faça? Que a envie para sua horrível mãe? Que a condene a passar seus dias consolando incessantemente sua mãe por tentar matá-la quando criança? Isso não é vida! — Circe podia ver que Babá estava contrariada, por isso, controlou sua raiva. — Babá, desculpe, não consegui contar a Branca de Neve que a mãe dela nos ameaçou. Ela teria insistido em partir imediatamente — disse ela, olhando para Babá e percebendo que ela estava mais do que contrariada. — Babá, você está bem? Quando foi a última vez que dormiu ou comeu alguma coisa? Suas mãos estão tremendo.

Babá deu uns tapinhas afetuosos na mão de Circe. Sua pele macia e fina pareceu um pergaminho para a jovem bruxa. Ela parecia muito mais delicada agora, quase frágil, deixando-a preocupada ao ver Babá tão exausta. Ela queria agasalhá-la com um cobertor ali mesmo, enfiá-la em uma cama aconchegante e envolvê-la com travesseiros macios. Estava tentada a colocar um feitiço de sono nela, só para que a velha fada pudesse descansar um pouco. Então, ela poderia sonhar e ter um pouco de paz.

— A última coisa de que preciso é ficar presa na Terra dos Sonhos com suas mães, Circe. A rainha Grimhilde vai mover céus e terras para recuperar a filha e, se suas mães conseguirem trazer Malévola de volta, você precisará da minha ajuda — respondeu Babá, cansada.

— O que você quer dizer com ficar presa com as irmãs esquisitas? Quem disse alguma coisa sobre mandar você para lá? — A Fada Madrinha estava fora de si.

— Não, querida. Eu sinto muito. Esqueço que você não pode ler mentes. Circe acha que um sono encantado poderia me fazer bem.

A Fada Madrinha bocejou.

— Bem, acho que poderia fazer bem a todas nós, com dragões atacando o castelo e o fantasma de Grimhilde nos ameaçando! Vocês sabem a quem devemos culpar por isso, não é? — A Fada Madrinha lançou a Circe um sorriso de desculpas e continuou: — Desculpe-me por dizer isso, querida, mas isso é tudo culpa das suas mães! Eu diria que elas nunca sairão da Terra dos Sonhos, não se pudermos evitar! — A Fada Madrinha levantou-se com as pernas trêmulas e cambaleou até Circe, depois pegou o espelho encantado de suas mãos e murmurou desculpas. — Sinto muito, minha querida. Agora, por favor, se não se importa, devemos tentar encontrar suas mães antes que elas levantem dos mortos todos que elas mataram e os lancem contra nós!

Circe revirou os olhos.

— Isso é um pouco dramático, não acha? Minhas mães não têm o poder de ressuscitar os mortos! Certamente não Úrsula. Malévola, talvez, visto que ela acabou de morrer.

A doce bruxa duvidava de suas próprias palavras, mas achava difícil aceitar qualquer coisa que a Fada Madrinha dissesse, porque ela era muito histriônica e tinha modos bem antiquados...

— Elas prenderam a alma de Grimhilde em um de seus espelhos mágicos! Quem sabe que outros poderes sombrios possuem? Úrsula e Malévola podem atacar-nos a qualquer momento!

Circe suspirou, mas não disse nada enquanto olhava feio para a Fada Madrinha.

— O que foi? Compartilhe seus pensamentos! — a Fada Madrinha falou rispidamente, olhando para Circe com um olhar de censura, que até aquele momento era inimaginável, dada sua natureza.

— Bem, se aquelas mulheres tivessem fadas para protegê-las, talvez elas não estivessem mortas e agora ao capricho de minhas mães!

A Fada Madrinha parecia que poderia desmaiar com a ideia.

— O que, pelas Terras das Fadas, você está sugerindo, mocinha?

Circe tentou suavizar a voz.

— Estou sugerindo que repensemos quem se beneficia da magia das fadas. Não deveria ser nosso dever ajudar todos os necessitados?

— Se bem me lembro — a Fada Madrinha disse astutamente —, você ainda não aceitou a nossa oferta para torná-la uma fada dos desejos honorária. E se esta é a maneira como pretende se conduzir em nome das Terras das Fadas, ajudando tipos como essas criaturas horríveis, então eu acho que posso reconsiderar a oferta!

A Fada Madrinha olhou Circe com ar de reprovação.

Nesse momento, Tulipa entrou na sala matinal, toda sorridente.

— Bem, não sei o que Oberon vai pensar disso! — ela disse.

A Fada Madrinha se encolheu ao ouvir o nome de Oberon, lembrando-se de suas repreensões quando ele chegou pela primeira vez a Morningstar. A jovem bruxa deu uma risadinha, depois sorriu para a roupa de Tulipa, deliciando-se com a suspeita de que provavelmente escandalizara a Fada Madrinha. E ela estava certa.

— O que, pelas Terras da Fadas, você está usando, mocinha?

A Fada Madrinha não pôde esconder sua desaprovação, mas Tulipa apenas riu. De sua parte, Circe tentou não rir.

— Circe, estou muito feliz em ver você!

As garotas se beijaram nas bochechas, rindo tanto pela alegria de se reunirem quanto pela reação da Fada Madrinha, embora isso as fizesse sentir-se um pouco culpadas.

— Tulipa! Olhe só para você! Você se tornou uma verdadeira dama desde que a vi pela última vez!

As irmãs esquisitas

Tulipa parecia radiante de felicidade.

— Eu não diria que ela parece uma dama! — A Fada Madrinha bufou. — Vestindo calças! É um escândalo!

Tulipa apenas riu de novo com os protestos da Fada Madrinha.

— E o que você quer que eu use enquanto cuido dos Senhores das Árvores? Oberon concorda que é muito sensato.

A Fada Madrinha franziu o nariz para Tulipa.

— O que seu jovem príncipe pensa de você cuidando, como você diz, dos Senhores das Árvores, trajando nada menos do que calças? Você não deveria estar planejando um casamento, minha querida?

Tulipa deu à Fada Madrinha um dos seus sorrisos forçados, o que significava que ela estava tentando não ficar impaciente com a velha fada intrometida.

— Bem, se realmente quer saber, meu querido Popinjay também acha que minha roupa é muito sensata! E eu não tenho intenção de me casar com ele nem com ninguém. Quem tem tempo para planejar casamento quando há tanto trabalho a fazer com Oberon, restaurando a terra depois que ela foi devastada na batalha? Sério, Fada Madrinha, não seja tão antiquada.

Babá sorriu.

— Bem, não deixe sua mãe ouvir você falando assim. Acho que ela compartilharia a opinião da minha irmã.

— Eu sei que sim! — disse a Fada Madrinha com rispidez.

Circe entrou na conversa.

— Oh, parem com isso, vocês duas. Eu acho que a Tulipa está linda. E, o mais importante, que parece feliz! E ela está vivendo sua vida como bem entende. O que eu sempre quis para ela. E acho que está certa: Oberon aprovaria estender o alcance das fadas para além das princesas.

— Agora, escute aqui! Eu não vou tolerar vocês todas se juntando contra mim! — disse a Fada Madrinha, olhando para Babá. — Irmã, suponho que você esteja do lado de suas beldades louras, não? — ela gritou.

— Receio que sim, minha irmã. Você sabe que sim! Isso é algo que eu queria para a nossa espécie há muito tempo.

Circe estava orgulhosa de Babá.

— Acho que agora é hora de tomar a decisão de ajudar todos aqueles que precisam, se estiver ao nosso alcance — ela disse, radiante por ser apoiada por Babá e Tulipa.

— Algo dessa magnitude tem que ser levado ao Conselho das Fadas em primeiro lugar, Circe. Mas eu não aconselharia perturbá-las com isso, não agora — a Fada Madrinha disse.

— E por que não? — Circe perguntou.

Babá e Fada Madrinha se entreolharam.

— O que foi? O que não estão me dizendo? — O sorriso de Circe diminuiu.

— Circe — Babá falou gentilmente —, temos que te contar uma coisa. O Conselho...

— Suas mães estão prestes a serem julgadas! — A Fada Madrinha falou abruptamente, quase feliz. — As fadas estão reunindo provas contra elas.

— Um julgamento? O que você quer dizer? Não deveríamos nos concentrar em impedi-las de escapar? Evitar que elas tragam de volta os mortos para ajudá-las em sua causa? — A voz de Circe se elevou em frustração.

– Devemos fazer as coisas corretamente, Circe! O Conselho deve opinar. Tem que haver um julgamento antes de tomarmos qualquer medida contra elas. Oberon já está zangado porque colocamos suas mães para dormir sem levar tudo em conta e, com esse julgamento, nós o faremos – disse a Fada Madrinha.

– Quando vocês iam me contar? Eu ao menos seria convidada para participar?

A Fada Madrinha olhou para Circe, avaliando-a cuidadosamente.

– Eu poderia ter convidado você, mas, depois de suas observações de hoje, não tenho certeza se é uma boa ideia. Não acho que você seja imparcial quando se trata de suas mães.

– Espere um pouco, minha irmã. Foi Circe quem tirou os poderes das mães dela e as trancou na Terra dos Sonhos. Ela pode não ser imparcial, mas quer ver a justiça sendo feita tanto quanto nós. Estamos todos do mesmo lado. E nada será resolvido se estivermos divididos. – Babá se virou para sua protegida. – E, minha querida, por mais que eu não goste, isso realmente *deveria* ir a julgamento. Todos nós temos que decidir juntos o que deve ser feito com suas mães.

A Fada Madrinha sorriu presunçosamente.

– Então, está tudo decidido. A questão das irmãs esquisitas será decidida pelo Conselho das Fadas.

– Mas alguém tem que descobrir o que minhas mães estão realmente fazendo! Alguém tem que pará-las! Não podemos perder tempo com esse julgamento ridículo quando há perigos mais imediatos. Todos sabemos que elas fizeram coisas repreensíveis, não precisamos provar isso. – Circe estava ficando ainda mais impaciente.

– Tem razão, minha querida, não precisamos provar. Mas precisamos decidir quais devem ser as consequências dos danos que elas causaram. Devemos decidir o que deve ser feito a respeito delas de uma vez por todas, e impedir que elas causem esse tipo de destruição novamente. – Malícia brilhava nos olhos da Fada Madrinha. – Tenho certeza de que as três fadas boas vão querer opinar.

– Oh, tenho certeza de que vão! – Circe estava prestes a dizer algo indelicado. Ela estava sem paciência com a Fada Madrinha. Certamente, cabia a ela decidir o que fazer com suas próprias mães. Não queria que as fadas tomassem essa decisão.

Babá, que podia ler os pensamentos da jovem bruxa, segurou a mão dela.

– Circe, minha querida, por favor, não se preocupe. Deixe-me ir para as Terras das Fadas em seu nome enquanto você procura uma forma de deter suas mães. Confia em mim, não é?

Circe sorriu.

– Claro que confio em você.

– Bem, então, deixe-me fazer isso por você. Além disso, faz muito tempo que não visito o meu local de nascimento. Posso descobrir que me sinto diferente em relação a ele agora.

CAPÍTULO V

A Caixa das Lamentações

A mente de Branca de Neve havia sido inundada por perguntas depois de ter lido a história de Gothel, por isso ela vasculhou em todos os livros das irmãs esquisitas, à procura de mais informações sobre a Floresta dos Mortos. Ela se perguntava como as irmãs conseguiam entrar na floresta mesmo com todos os encantamentos que Manea colocara nas fronteiras. Mas ainda mais perturbadoras foram algumas das coisas que Lucinda e suas irmãs disseram a Gothel. Como elas sabiam tanto sobre a Floresta dos Mortos e as bruxas que viveram lá ao longo dos tempos? Como Lucinda sabia coisas sobre a infância de Gothel que a própria Gothel não sabia?

Mas, quando Branca tentou encontrar novamente essas seções no livro de contos de fadas, descobriu algo muito mais perturbador: uma história que nunca havia lido antes. Ela se aconchegou em seu sofá vermelho favorito com uma xícara de chá, esperando encontrar as respostas que estava procurando.

A CAIXA DAS LAMENTAÇÕES

Oculta profundamente na Floresta dos Mortos, havia uma família de bruxas.

A fria mansão de paralelepípedos de pedra cinzenta empoleirava-se na colina mais alta, dando-lhes uma vista incrível e inspiradora da Cidade dos Mortos, sob as sombras das árvores sem vida, com fileiras de criptas e lápides estendendo-se por quilômetros. Um encantado e impenetrável bosque de roseiras circundava a floresta, mantendo as bruxas do lado de dentro e os vivos do lado de fora. Com algumas exceções.

Duas das bruxas eram mais velhas do que qualquer uma delas conseguia recordar. A terceira havia acabado de nascer, no dia em que esta história tem início. Ela era a filha única de Manea, que, por sua vez, era a filha única da terrível e temida Nestis, a rainha que governava a Floresta dos Mortos. Embora a Floresta dos Mortos houvesse tido muitas rainhas, Nestis era, de longe, a mais cruel e poderosa que a floresta já produzira.

Entretanto, a Rainha dos Mortos ofereceu à sua filha apenas amor e a preparou para o dia em que assumiria o trono em seu lugar, uma tradição que a própria Manea não adotaria quando ela eventualmente se tornasse Rainha dos Mortos. No entanto, Nestis previu a vinda de uma grande e poderosa bruxa, fortalecida pelo sangue das bruxas que vieram antes dela. Viu que sua filha Manea traria essa bruxa ao mundo e, assim, tratou-a como a rainha que um dia se tornaria. Mais importante ainda, ela a tratou como a mãe da rainha mais poderosa que aquelas terras veriam. E, assim que sua filha deu à luz essa nova e poderosa bruxinha, ainda que ela fosse um presente dos deuses, Nestis queria mais.

Ela queria três.

— Todos sabem que três filhas idênticas são favorecidas pelos deuses, Manea — disse Nestis do trono em seus aposentos.

Ele era grande e impressionante, esculpido em formato de dragão. Nestis parecia sempre estar à sombra dessa gigantesca fera alada, tendo como apoios para os braços suas asas e a cabeçorra espiando por cima do ombro esquerdo, parecendo sussurrar conselhos em seu ouvido. O único elemento no aposento ainda mais grandioso era a cama de pedra, também decorada com dragões esculpidos.

— Eu sei, mãe. Os deuses não acharam por bem conceder-me três. Mas minha filha é um grande presente. Você mesma disse. Ela é a bruxa mais poderosa que estas terras já viram. Não podemos nos contentar e celebrar isso?

Manea estava tremendo diante da mãe, sentindo frio no quarto repleto de correntes de ar. Congelada até os ossos pela umidade proveniente das paredes de pedra, intimidada pelos dragões que as decoravam e preocupada com o destino de sua filha recém-nascida.

— E é por isso que temo que você não seja digna de tomar o meu lugar, minha pequena, minha malvada filha. Você não tem imaginação. Nunca busca a grandeza.

Nestis sorriu maliciosamente para a filha.

— Mãe! Por que nunca consigo agradá-la? Eu produzi a mais poderosa bruxa em nossa linhagem, e você ainda não está satisfeita.

Os olhos de Manea estavam esbugalhados; seus cabelos pretos e pegajosos estavam desgrenhados e colados ao rosto pálido.

— Não, não estou! — disse Nestis, levantando-se. — Eu quero as três bruxas mais poderosas. Nós vamos dividi-las. Amanhã.

— Dividi-las? O que quer dizer com "dividi-las"?

— Quero dizer exatamente isso. Transformarei uma em três.

Nestis foi até a escrivaninha e pegou um pergaminho.

— Mas isso não faz sentido. Se dividir o poder dela entre três, então elas não serão mais fracas e menos poderosas?

— Não com o meu sangue em suas veias, elas não serão. Serão as bruxas mais poderosas que estas terras já viram.

Nestis rabiscou uma nota apressada e tocou o pequeno sino pendurado na parede acima da cornija da lareira.

— Ela já é a mais poderosa! Por favor, mãe, não faça isso!

Manea estava inundada de terror com a ideia de dividir a filha. Talvez tenha sido a palavra, dividir. Parecia perigoso, horrível, violento. Ela não aceitaria isso. Enquanto tentava encontrar o argumento certo, as palavras certas para implorar à mãe, um dos esqueletos lacaios de sua mãe entrou no quarto.

— Tome, pegue isto — disse Nestis. — Traga-o para mim imediatamente.

Com isso, ela dispensou o criado e voltou sua atenção para a filha. Manea se perguntou a que sua mãe se referia, mas tinha medo de perguntar.

— O reinado delas será lendário. Será que não vê? Não haverá necessidade de sucessão depois delas. Podemos moldá-las à nossa imagem, ensinar-lhes nossas tradições e nossa magia e, quando chegar a hora de passar para as névoas, saberemos que nossas terras estarão protegidas. Nossa magia viverá nelas, não deixando nada ao acaso.

— *Mãe, estou lhe implorando. Não faça isso com a minha filha!*

— *Confie em mim, minha querida. Sua pequena ferinha estará a salvo, eu prometo a você. Nenhum mal será feito a ela. E pense em como você ficará mais feliz quando tiver três filhas para amar e cuidar. Pense em como seremos favorecidas entre nossas ancestrais e os deuses. Não haverá nada em nenhum lugar que não esteja sob nosso comando quando elas nascerem.*

— *Mãe! Você quer dizer que deseja estender nosso reinado para além dos limites da Floresta dos Mortos? Nenhuma bruxa moderna já cruzou a fronteira. E, em troca, os vivos nos dão seus mortos. Tem sido assim desde antes do registro dos tempos* — disse Manea chocada por sua mãe ousar pensar em tal coisa.

— *Não tenha a pretensão de me ensinar a nossa história, filha! Eu discuti isso com nossas ancestrais, e me foi dada permissão para cruzar a fronteira se conseguirmos fazer as três.*

— *Mas isso é loucura, mãe! Vai contra toda a nossa história, contra tudo o que nos foi ensinado. Eu não acredito que nossas ancestrais tenham concordado com isso.*

— *Você se atreve a me questionar?*

Manea nunca tinha visto a mãe tão brava. Ela nunca sentira medo de sua mãe antes, e foi uma sensação estranha querer se curvar diante dela. Mas, antes que pudesse dizer qualquer coisa, a expressão de sua mãe mudou e suavizou.

— *Isto é minha culpa. Eu lhe dei a impressão de que sua opinião é bem-vinda. Compartilhei coisas demais com você, minha filha, mas jamais se esqueça de que eu sou a rainha aqui, e minha palavra é suprema. Contrarie-me novamente e vai se arrepender. Não provoque minha ira.*

— *Mãe, por favor. Certamente eu deveria poder decidir sobre o que acontece com a minha própria filha!*

— *Não, minha querida, você não pode. Vá agora e fique com sua filha. Ame-a como uma só e espero que amanhã você seja capaz de amá-la como três. Porque ela será três, minha querida, quer você queira ou não. Agora, deixe-me antes que eu fique realmente zangada com você.*

Manea saiu dos aposentos da mãe e foi até o quarto do bebê, com os olhos marejados de lágrimas e o coração cheio de pavor. Sua filha estava dormindo profundamente no ninho de pássaro entalhado em pedra, aconchegado nos galhos de uma árvore esculpida no centro do quarto. Ela parecia tão confortável, envolta em seus cobertores. Corvos de pedra cinzenta empoleiravam-se acima dela, olhando carinhosamente para o bebê ali embaixo. O grande altar à direita do quarto estava coberto de pequenas pinturas das muitas rainhas que haviam governado a Floresta dos Mortos e que agora estavam nas névoas. Suas ancestrais.

Nestis era a única que falava com suas ancestrais, mas Manea estava em pânico. Ela tinha que saber se sua mãe estava dizendo a verdade. Algo dentro dela dizia que não estava. A mesma voz que lhe advertia que dividir sua filha seria desastroso a guiava neste momento. Ela abriu a caixa de madeira que havia sobre o altar e acendeu a vela em seu interior com as mãos trêmulas.

— *Honradas ancestrais, por favor, perdoem-me por perturbá-las nas névoas, mas estou preocupada com seus planos para minha filha.*

Uma voz sobrenatural surgiu do nada. Uma voz calmante e tranquilizadora de mulher.

— *Estamos muito satisfeitas com o nascimento de sua filha, Manea.*

Manea não sabia o que esperar, embora a voz dessa mulher, essa antepassada sem rosto, a tivesse pegado desprevenida pela forma gentil e amável como soava.

— Mas ainda é cedo para se preocupar com nossos planos para ela. Enquanto sua mãe ainda está no poder, nossas intenções e sonhos estão com ela.

— Então, vocês não lhe deram permissão para dividir minha filha em três?

— Ela não precisa da nossa permissão para fortalecer a linhagem, Manea. Você sabe disso.

— Mas ela precisaria da sua permissão se quisesse estender nosso reinado para além das fronteiras.

— Além das fronteiras? Nenhuma bruxa desde a Primeira procurou governar além das fronteiras. Que insensatez é essa? Tem certeza de que esse é o plano dela?

— Ela acabou de me contar. Não tenho a intenção de traí-la, mas estou tão preocupada...

— Mas você já a traiu vindo até nós. Siga o plano da sua mãe. Nós prometemos a você que não vamos deixar isso ir longe demais. Agora vá, cuide de sua garotinha. Você se saiu bem, Manea. Deu à nossa família um grande presente e não deixaremos sua mãe destruir tudo o que construímos aqui.

— Abençoadas sejam.

E ela apagou a vela e fechou a tampa da caixa de madeira. A fumaça da vela preta ergueu-se em uma espiral, dançando diante dela, e ela ficou quase hipnotizada até que algo do lado de fora da janela do quarto do bebê chamou sua atenção.

Era Jacob. Seu amado.

O coração de Manea acelerou quando ela o viu. O que ele estava fazendo lá?

— *Ele está aqui porque eu o convidei.*

Manea se virou e viu a mãe parada na porta.

— *Mãe!*

Sua mãe ficou ali, contemplando o quarto e buscando na mente de Manea as respostas que procurava. Pareciam mãos de esqueleto arranhando o cérebro de Manea. Ela podia sentir sua mãe bisbilhotando, tentando encontrar seus segredos.

— *Sinto cheiro de cera de vela e fumaça. Estava falando com nossas ancestrais?*

— *Eu queria que elas abençoassem minha filha* — *disse Manea, tremendo, lançando um olhar para a filha, que ainda estava dormindo em seu ninho.*

— *Mentira!*

Manea nunca ouvira a mãe gritar, mas, antes que ela pudesse reagir, foi atingida por um enorme golpe que a fez voar para o lado oposto do cômodo, acertando o altar da família, espalhando os retratos e derrubando a caixa das lamentações no chão.

— *Ancestrais, por favor, me ajudem!*

Manea pegou a caixa de madeira, mas ela voou de sua mão e se despedaçou contra um corvo de pedra, acordando a bruxa bebê.

Manea reuniu toda a sua coragem, levantou-se devagar e dirigiu-se ao bebê, que chorava.

— *Não toque nela, Manea!*

Manea não escutou; correu para a filha e tomou-a nos braços.

— *Calma, minha garotinha. Mamãe está aqui. Ela ama você.*

— *Entregue a criança a mim!*

O rosto de Nestis se transformou em fúria. Manea nunca a tinha visto assim. Parecia uma fera selvagem, feia e desfigurada pela raiva, mas Manea permaneceu firme.

— *Nunca! Eu não vou deixar você pegá-la!*

Nestis estreitou os olhos e ficou completamente imóvel. Algo nisso provocou um calafrio em Manea.

— Traga-o! — Nestis disse calmamente, e Manea sabia que a mãe não estava falando com ela.

Dois esqueletos lacaios trouxeram Jacob para o quarto do bebê. Ele estava machucado, ferido e sangrando, incapaz de falar ou andar sozinho.

— Jacob, não! — O homem alto e bonito estava diante dela, estupefato. — O que você fez? — gritou Manea.

— Entregue a mim a sua filha ou eu o matarei.

— Nunca lhe darei a minha filha!

— Então, essa é a sua escolha? Prefere ver o pai da sua filha morrer a entregá-la a mim?

— Ele não é o pai dela! — Manea mentiu, esperando salvá-lo. — Minha filha nasceu da magia, como todas as filhas na Floresta dos Mortos!

Nestis riu.

— Mentira! Eu sei de tudo, Manea! Você é tola o bastante para pensar que eu não conheço todos os seus pensamentos? Cada movimento seu? Eu conheço o seu coração, minha querida, porque o seu coração é o meu coração! Eu criei minha filha com magia, como você estava fadada a fazer. Sou a criadora dos destinos! Deixei que seu flerte com esse humano continuasse porque vi a chegada de uma grande e poderosa bruxa. Fui eu quem colocou esse humano em seu caminho. Providenciei para que ele fosse o nosso homem, que acataria nossas ordens no mundo dos vivos. Foi pela minha graça e visão que você se apaixonou por ele, e fico contente em deixá-la ficar com ele. Mas ouça-me bem: não vou deixar que atrapalhe o crescimento da grandeza de sua filha nem da grandeza de nossas terras e nosso reinado! Então,

me entregue a criança agora ou vou cortar a garganta do seu amado enquanto você assiste.

— Ele não era um flerte! Eu o amo!

— Então salve a vida dele e me entregue a criança!

Manea respirou fundo e olhou nos olhos de Jacob. Ele estava desorientado e mal conseguia manter-se de pé. Ela não tinha certeza se ele entendia o que estava acontecendo ou onde estava. Ele estava enfeitiçado pela magia de sua mãe. Ela o amava, amava-o tanto, mas não poderia desistir de sua filha. Nem mesmo por Jacob.

Oh, meu amor, me perdoe, *ela pensou enquanto olhava para ele.*

— Meu Jacob, meu amor, sinto muito — *ela disse enquanto fechava os olhos.*

Ela sabia o que estava por vir. Tentou se preparar para isso. Apertou a filha nos braços com tanta força que achou que poderia esmagá-la...

Branca de Neve baixou o livro.

— Onde está o restante?

As páginas remanescentes haviam sido arrancadas do livro de contos de fadas. O coração de Branca estava acelerado. Parecia que a teoria que brotou em sua mente depois de ler a história de Gothel estava se encaixando a cada nova coisa que lia. Era como um quebra-cabeça, e cada nova informação estava tornando sua teoria realidade.

Não tire conclusões precipitadas, Branca, disse a si mesma. *Você não sabe ao certo.*

Ela se levantou e começou a andar de um lado para outro na pequena casa das irmãs esquisitas. Era tão estranho ler sobre Manea e Jacob. Isso fez seu coração doer, sabendo que Manea testemunhou a morte de seu amado. *E o que aconteceu com a criança?*

Mas Branca pensou saber a resposta mesmo quando ainda se perguntava. Sabia quem era a criança, mas queria ver aquelas páginas que faltavam para ter certeza. Ela tinha que contar para Circe.

Oh, meus deuses. Tudo faz sentido. Tudo isto. Se isso for verdade, então...

Ela queria pegar o espelho e invocar sua querida prima imediatamente. Para contar tudo a ela. Mas não o fez. A última coisa que queria fazer era deixá-la em pânico. Ainda não. Ela tinha que ter certeza. Precisava das páginas que faltavam. Precisava conhecer toda a história.

De repente, sentiu-se fraca. Todo o ar pareceu deixar a sala de uma só vez, e ela não conseguia respirar. Precisava sair da casa imediatamente, dominada por um enorme desejo de fugir. Correu para a porta e a abriu e, para seu horror, depositada em frente à porta, havia uma grande e reluzente maçã vermelha. Ela gritou.

A coisa parecia sinistra. Do mal. Muito parecida com a que sua mãe lhe dera anos antes. Ela bateu a porta.

— Mostre-me Circe! — gritou inúmeras vezes até que ouviu a voz de Circe vindo do espelho.

Branca! Você está bem?

— Não, Circe, não estou. Por favor, venha! Estou com muito medo!

CAPÍTULO VI

O Passarinho e a Maçã

— Eu não entendo! Quem faria isso?

Circe estava zangada, olhando para a maçã agourenta, ainda depositada em frente à porta onde Branca a deixara.

— Acalme-se, minha querida. Não vamos deixar que nada aconteça com Branca, eu prometo. — Babá havia assumido o controle da situação.

Ambas tinham descido do castelo para a casa das irmãs esquisitas para ver como a princesa estava. A Fada Madrinha ficara para trás, para fazer o restante dos reparos antes que ela e Babá tivessem que ir para as Terras das Fadas a fim de organizar a reunião do Conselho de Fadas.

Babá examinou o interior da casa. Perguntou-se como teria sido para Circe crescer em um lugar tão estranho, com seus vitrais que exaltavam os atos vis de suas mães. Uma das janelas mostrava a fatídica maçã vermelha de Branca de Neve, brilhando como um farol carmesim na luz do sol sobre a porta da frente, e à sua direita estava o colar de conchas douradas de Úrsula, cintilando. E foi então que ela viu o que partiu seu coração: um dragão, cercado por corvos negros e soprando chamas verdes. Vê-lo fez suas bochechas queimarem com a culpa pela perda de Malévola. Babá olhou em volta da sala, tentando se distrair de seu sofrimento. Algumas imagens não lhe eram familiares. Perguntou-se como elas estariam conectadas às histórias que conhecia. Reconheceu a rosa como sendo a de Fera, mas não conseguiu localizar precisamente alguns dos outros símbolos. Olhando novamente para o vitral de Malévola, ela se lembrou.

Sua xícara de chá!

— Com licença, minhas queridas — ela disse, dirigindo-se para a cozinha. — Sempre tive curiosidade a respeito de uma coisa.

Ela fuçou os armários das irmãs esquisitas até encontrá-la. Sua xícara de chá. Aquela que as irmãs haviam pegado quando compareceram ao aniversário de Malévola e a assistiram fazer seus exames para fada.

— Ah! Eu sabia!

Circe e Branca observaram Babá, intrigadas. Por que ela não estava mais preocupada com a misteriosa maçã? O que ela estava procurando?

— Babá, o que está fazendo aí? — a doce bruxa perguntou.

Babá se virou, as bochechas enrubescidas.

— Eu sinto muito, minhas queridas! Sempre me perguntei se suas mães surrupiaram essa xícara de chá de mim e eu descobri que sim. Acho que vou pegá-la de volta. Por precaução, até que saibamos seu propósito ameaçador.

Circe assentiu.

— É compreensível. Por favor, sinta-se à vontade — ela disse enquanto pigarreava e olhava para a maçã, como se dissesse que era mais urgente do que sinistras xícaras de chá.

— Sim, claro que você está certa — disse Babá, voltando sua atenção para a maçã. — É inofensiva — ela assegurou. — Eu não detecto nenhum encantamento ou veneno.

— Sim! Eu já supunha isso. Mas quem faria algo assim? Está levando a pobre Branca às lágrimas de tão amedrontada que está! E não sugira que a mandemos para casa, Babá! Não depois disso! — A própria Circe estava à beira das lágrimas.

— Não, eu concordo, precisamos mantê-la por perto para que possamos protegê-la.

— Eu não tenho direito a opinião sobre o que acontece comigo? — disse Branca, pegando a maçã e segurando-a.

— Claro que tem. Desculpe, prima. Mas por que tentou sair de casa? Qual era o problema?

Circe pegou a mão de Branca na sua e conduziu-a para o pequeno sofá vermelho para que pudessem se sentar juntas.

— Não sei. Eu estava lendo uma história no livro de contos de fadas e de repente me senti oprimida aqui. Não consigo explicar. Senti que tinha que sair. Como se tivesse que me arrastar para fora, se necessário fosse. Desculpe-me se causei tanto alvoroço.

— Você não está causando nenhum alvoroço, Branca! Esteve confinada aqui por muito tempo, e eu não deveria tê-la deixado sozinha.

— Circe, o que acharia se eu fosse ver a Sra. Tiddlebottom enquanto você lida com as coisas aqui com Babá? Isso *me tiraria* daqui, e eu estava preocupada com ela, abandonada para cuidar sozinha de Primrose e Hazel. Tenho receio de como ela vai se sentir quando todas suas lembranças retornarem.

— Do que se trata isso tudo? — perguntou Babá.

— Minhas mães colocaram um feitiço da memória na cozinheira de Gothel, a Sra. Tiddlebottom, e, agora que eu tirei os poderes das minhas mães, a maior parte de seus feitiços está se desfazendo. Branca tem medo de que a Sra. Tiddlebottom fique aturdida quando recuperar todas as lembranças.

Babá pensou a respeito, recolhendo mais informações das lembranças de Circe e Branca sobre a visita que fizeram à Sra. Tiddlebottom antes de irem para Morningstar. Ela também captou um pouco da história de Gothel.

— Acho que Branca está certa. A pobre mulher pode precisar de alguém para ajudá-la.

Babá olhou para Branca de Neve, imaginando o que ela estava tramando. Ela acreditava que Branca estava preocupada com a Sra. Tiddlebottom e aquelas de quem estava encarregada, Primrose e Hazel, ela podia ver isso em sua mente, mas também sentia que havia algo mais nesse estranho pedido. E ficou surpresa que a princesa fosse capaz de guardar isso para si mesma. Talvez não fosse nada mais do que culpa por não ficar com a Sra. Tiddlebottom e as irmãs de Gothel por mais tempo. Ela sabia que Circe sentia vergonha por deixá-las sozinhas tão cedo; isso estava na mente dela. Talvez Branca de Neve também sentisse vergonha. Mas por que ela estava fazendo esse pedido agora, no meio de uma crise? Babá não entendia. Então, ela compreendeu a verdadeira razão que se ocultava nas sombras da mente de Branca de Neve: algo sobre procurar as páginas que faltavam no livro de contos de fadas na biblioteca de Gothel, que ainda estavam na casa da Sra. Tiddlebottom. *Interessante.*

— Não quero você tão longe de nós, Branca. Quero você aqui, onde podemos protegê-la — disse Circe sem ler os pensamentos de Babá, concentrada como estava na prima.

— E quanto à Sra. Tiddlebottom? Quem vai protegê-la?

O lábio de Branca de Neve começou a tremer. Ela se virou abruptamente e saiu do quarto.

— Circe, vá com ela. Você mesma me disse que estava preocupada com Primrose e Hazel — disse Babá.

— Eu disse?

— Bem, não com palavras, querida — Babá esclareceu com uma piscadela.

— É verdade que eu as deixei muito mais cedo do que desejava na pressa de voltar para você.

— Deixe tudo comigo, como discutimos anteriormente. Tenho a sensação de que existem respostas na biblioteca de Gothel que a ajudarão a decidir o que fazer com suas mães.

— O que quer dizer, Babá?

— Você deveria perguntar para Branca de Neve. Acho que há algo mais nessa pequena viagem do que apenas ver como estão a Sra. Tiddlebottom e suas belas adormecidas.

CAPÍTULO VII

A SRA. TIDDLEBOTTOM E A COLEÇÃO DE ANIMAIS DE MARZIPÃ

Circe pousou a casa das irmãs esquisitas em um campo cheio de flores silvestres douradas pelo crepúsculo, assim como suas mães haviam feito anos antes. A cabana da Sra. Tiddlebottom estava destacada contra um céu de pervinca e rodeada por um jardim não podado, com árvores floridas que preenchiam o ar com um aroma forte e adocicado. Para além do campo de flores silvestres, havia um penhasco debruçando-se para o oceano.

Branca de Neve lembrou-se da cena na história de Gothel, na qual Gothel esgueirou-se do porão para se revitalizar com a flor antes que os soldados viessem confiscá-la para sua rainha. A princesa nunca a imaginou como uma bruxa velha. Sempre a viu jovem e vibrante com suas irmãs. E estar lá naquele lugar, onde Gothel se sentira tão sozinha, fez o coração de

Branca de Neve doer por todas as esperanças e sonhos de Gothel que nunca tiveram a chance de se tornar realidade.

Circe e Branca de Neve chamaram a Sra. Tiddlebottom conforme se aproximavam da entrada dos fundos, esperando que ela botasse para fora seu doce rosto na porta da cozinha para dizer olá, mas ela não respondeu.

– Sra. Tiddlebottom?

As mulheres encontraram a Sra. Tiddlebottom sentada à mesa da cozinha, cercada por animais de marzipã e bolos de aniversário lindamente decorados. Os doces confeitados cobriam a mesa da cozinha e todos os balcões, e eles também estavam equilibrados nos parapeitos das janelas.

– Sra. Tiddlebottom? Sou eu, Branca de Neve. Vim com Circe para ver como a senhora está.

A mulher não disse nada; apenas olhava fixamente o vazio.

– Circe, acho que ela precisa de uma xícara de chá – disse a princesa, segurando gentilmente a mão da senhora e tentando despertá-la.

Quando a jovem bruxa foi tirar o bule do armário, notou que o zoológico de doces havia sido empilhado em pratos, tigelas e dentro das xícaras de chá. Ela tirou um gatinho de marzipã do topo do bule e conferiu o interior antes de preparar o chá.

– Sra. Tiddlebottom? A senhora se lembra de nós? – O coração de Branca de Neve se partiu quando ela olhou para a pobre mulher, que ainda não as havia notado. – Sra. Tiddlebottom?

A mulher finalmente levantou o olhar e seu rosto se iluminou quando viu Branca de Neve.

— É claro que me lembro de você, minha querida! Estou tão feliz por ter voltado!

Branca de Neve abraçou a velha senhora com força.

— Eu me ofereceria para fazer um chá para vocês, mas vejo que a doce Circe já está cuidando das coisas.

Circe corou.

— Sinto muito, Sra. Tiddlebottom. Achei que seria bom para a senhora ter alguém servindo-a, para variar.

A velha sorriu.

— Não se preocupe, minha querida. Estou feliz que estejam aqui.

— Vejo que tem estado ocupada — observou Branca de Neve, sorrindo para os doces espalhados pela cozinha.

— Sim, suponho que sim.

A Sra. Tiddlebottom olhou ao redor da sala como se não soubesse como todos aqueles animais tinham chegado lá.

— Talvez devêssemos ir para a sala de estar ou a biblioteca, enquanto Circe nos prepara um pouco de chá — sugeriu Branca de Neve, lançando um olhar preocupado para a prima.

— Oh, eu nunca entro na biblioteca. Nunca! Nem na biblioteca nem no porão — disse a atordoada velha.

— Bem, espero que não se importe de eu ir depois à antiga biblioteca de Gothel, Sra. Tiddlebottom. Há alguns livros que acho que podem ser úteis para nós.

A Sra. Tiddlebottom lançou um olhar astuto para Branca de Neve.

— Oh, eu não acho que Gothel iria se importar. Imagino que ela não esteja em condições de objetar agora, não é? — ela disse, rindo. — Por que você simplesmente não os leva? Eu ficaria feliz em me livrar daquelas coisas ruins! – Ela pareceu se lembrar de alguma coisa desagradável.

– Venha, vamos lá para a sala de estar, Sra. T.

Branca de Neve conduziu a Sra. Tiddlebottom pela cozinha e a sala de jantar, até a adorável pequena sala de estar. A sala era aconchegante e antiquada; as paredes eram forradas com papel de parede marrom salpicado de delicadas flores cor-de-rosa e paninhos de renda branca enfeitando as mesas. Um lar perfeito para uma senhora idosa.

– Como está se sentindo, Sra. Tiddlebottom?

A doce mulher parecia estar considerando sua resposta, mas nunca chegou a expressá-la.

– Sra. Tiddlebottom? – Branca de Neve sentou-se ao seu lado e pegou em sua mão. – Sra. Tiddlebottom, há algo que eu possa fazer pela senhora?

Nesse momento, Circe entrou na sala carregando uma bandeja farta.

– Senhoras, preparei o chá. E fiz alguns pequenos sanduíches.

A Sra. Tiddlebottom olhou para Circe e sorriu.

– Obrigada, querida. Eu estava prestes a dizer a Branca de Neve que ela não deveria se preocupar com a pobre e velha Sra. Tiddlebottom. Estou bem, minhas queridas. Estou bem. Tenho tudo de que poderia precisar. Quantos podem dizer o mesmo?

Circe baixou a bandeja de chá e serviu as xícaras das três.

– Como estão suas belas adormecidas? – ela perguntou.

A Sra. Tiddlebottom mostrou um brilho nos olhos e pareceu despertar do sono acordado à menção de suas protegidas.

– Oh, elas estão bem. Estão bem.

Circe passou uma xícara de chá à Sra. Tiddlebottom.

— Branca estava preocupada que a senhora pudesse estar um pouco sobrecarregada agora que suas memórias estão retornando. Queríamos ter certeza de que está bem.

A Sra. Tiddlebottom pousou o chá e estendeu a mão para Circe.

— Venha, sente-se conosco.

A doce bruxa sentou-se do outro lado da Sra. Tiddlebottom.

— Eu me lembro de tudo. E estou bem. Juro. Só estou muito cansada.

Branca de Neve deu um beijo na bochecha da velha senhora.

— Vocês são uns amores, mas, de verdade, garotas, vocês se preocupam demais.

Circe passou à Sra. Tiddlebottom o prato com pequenos sanduíches.

— Obrigada, querida. Posso perguntar por que de fato vocês estão aqui? Tem a ver com esses livros? Oh, não me levem a mal, sei que vocês têm corações bondosos, vocês duas, mas o conto de fadas desta velha acabou. Cumpri meu dever e protegi as belas adormecidas, mas meu trabalho está terminado, e o que quero agora, mais do que qualquer outra coisa, é descansar.

— O que quer dizer com "seu trabalho está terminado"?

— Quero dizer isso mesmo, minhas queridas. Primrose e Hazel, elas acordaram alguns dias atrás.

— O quê? Acordaram? Mas como? — disse Circe, ficando de pé. — Onde elas estão?

— Elas disseram que iam para casa, minha querida.

— Para casa? Mas como elas foram trazidas de volta à vida? Como isso aconteceu?

A Sra. Tiddlebottom sorriu.

– As flores, querida. Foram as flores. Você não as viu quando entrou?

Circe correu para a janela e engasgou com as luzes brilhantes vindas do campo.

– Branca de Neve! Veja!

O campo estava repleto de flores douradas brilhantes. Sua luz era tão brilhante que Circe podia vê-la refletida no rosto de sua prima.

– Sra. Tiddlebottom, de onde vieram essas flores?

A Sra. Tiddlebottom riu.

– Oh, essas são as flores de Gothel.

Branca de Neve e Circe se entreolharam, atônitas.

– As flores mágicas? Mas como elas chegaram aqui?

A Sra. Tiddlebottom riu novamente.

– Bem, queridas, elas cresceram, como as flores costumam fazer.

Capítulo VIII

Irmãs Têm Segredos

Fazia muitos anos que Babá não visitava as Terras das Fadas. Nunca pensou que voltaria lá depois de ter ajudado a irmã a reconstruí-la. Mas agora sua vida tinha fechado um círculo completo, voltando àquele lugar após a morte de Malévola.

Ela começou a sentir sua perda mais profundamente ali, no lugar onde ela criara e amara Malévola como sua própria filha. Lembrando da garota maravilhosa, inteligente e talentosa que ela tinha sido. Lembrando como sua irmã tinha desempenhado um papel na destruição da pessoa que ela mais amava no mundo. Mas, tirando uma página do livro de Grimhilde, ela enterrou fundo seus sentimentos dentro de si, onde seriam mais difíceis de acessar. Afinal de contas, sua irmã sofrera por sua participação na morte de Malévola, e fora admoestada por Oberon. Babá e a Fada Madrinha forjaram um vínculo provisório que Babá tinha medo de quebrar. Então, ela sufocou seus sentimentos. Empurrou-os para um lugar com o qual não tinha que lidar naquele momento.

As irmãs esquisitas

Um lugar onde Malévola vivia dentro dela, um lugar secreto e privado onde a menina que ela amava podia residir sem devorá-la por dentro.

Quase ansiava pelos dias antes de descobrir sua verdadeira identidade, os dias em que era apenas babá de Tulipa, antes que Pflanze a despertasse de seu longo sono. As coisas eram muito mais fáceis naquela época.

Agora, enquanto ela olhava ao redor das Terras das Fadas, borbulhavam todos aqueles sentimentos que ela estava lutando para enterrar dentro de si. Pois lá estava seu antigo chalé, e havia a casa da árvore de Malévola, exatamente onde ela a deixara. Tal visão a fez chorar. Ela chorou pela perda de sua filha adotiva e chorou por entregar Aurora para as três fadas boas. Chorou por tudo isso. E chorou por si mesma. Mas tinha que ser forte. Ela tinha Tulipa e Circe para cuidar agora. Embora algo lhe dissesse que não precisava mais se preocupar com Tulipa. Ela estava se tornando a mulher que Babá sempre soube que seria. Circe havia colocado Tulipa nesse caminho. Era agora inteligente, aventureira e independente. Ela não podia estar mais orgulhosa de sua princesa.

A jovem bruxa era quem precisava de Babá agora. Ela corria perigo real, porque viu os caminhos que estavam diante de si. Babá achava que conhecia a estrada que Circe seguiria. E isso despertou um terrível medo em seu coração.

É, era melhor que Circe estivesse com a Branca de Neve. Melhor que ela não estivesse ali enquanto as fadas decidiam o destino de suas mães. Ela não achava que Circe conseguisse ouvir mais uma história horrível sobre elas ou alguma coisa lamentável que elas fizeram para protegê-la. Sabia que as fadas chegariam às mesmas conclusões que Circe. As irmãs jamais deveriam ser libertadas. Babá sabia que sua protegida nunca seria capaz de prosperar à sombra de suas mães. Ela nunca seria capaz de alcançar seu pleno potencial se tivesse que continuar consertando o estrago depois do turbilhão de forças destrutivas de suas mães. Passaria o resto da vida compensando as ações de suas mães se elas fossem soltas nos muitos reinos. Tal ideia era inconcebível.

Quando Babá abriu a velha porta da cabana, foi como se estivesse levando um soco no estômago. A dor de estar lá era tão viva dentro dela que parecia que aquele era o lugar onde ela mantinha todos os seus segredos, toda a sua dor, todo o seu sofrimento. Não estava dentro dela em absoluto; estava ali naquela cabana. Ela sabia que não poderia ficar. Não tão perto da casa da árvore de Malévola. Não na cozinha, onde ela se preocupou com os exames para fada de Malévola. Não no lugar em que ela passou os dias mais bonitos e dolorosos de sua vida.

— Irmã, eu sabia que era um erro trazer você de volta para cá. Eu posso ver isso estampado em seu rosto.

Babá quase se esquecera de que sua irmã estava ao seu lado.

— Você estava certa, minha querida irmã. No fim das contas, posso ficar com você?

A Fada Madrinha assentiu.

— Claro que pode.

Quando ela fechou a porta de seu antigo chalé, e as duas fadas puseram-se a caminho da casa da Fada Madrinha, Babá tentou deixar sua dor para trás. Era ali que ela estivera armazenando toda sua dor, não profundamente dentro de si mesma como imaginara. Não havia espaço para muito mais com Malévola residindo lá, então sua dor vivia em sua antiga cabana, e era ali que ficaria até que ela estivesse pronta para revisitá-la. Quanto mais longe no caminho ela avançava, menos severo o sofrimento dela se tornava, até que ela o sentia apenas da forma distante e familiar com a qual se acostumara viver. Isso ela conseguia administrar. Tinha vivido muitas vidas, e as lembranças dessas vidas eram grandes demais para carregar com ela. Muito pesadas. Estava feliz por ter um lugar para colocá-las.

— Você disse que iríamos nos reunir com os outros membros do Conselho hoje, não oficialmente, para decidir como proceder?

A Fada Madrinha lançou à sua irmã um olhar astuto.

— Eu não tinha dito isso, mas estava prestes a fazê-lo.

As duas riram.

— Bem, acho que é uma boa ideia. Quem está no Conselho agora além de você e de mim? – perguntou Babá.

— As três fadas boas, a Fada Azul e Oberon, se ele quiser.

Babá se lembrou de que queria mandar um vaga-lume para Oberon com uma mensagem sobre a reunião, no caso de sua irmã convenientemente ter esquecido.

— Você ainda usa vaga-lumes para enviar mensagens, minha irmã? Eu quero mandar uma para Oberon.

A Fada Madrinha franziu o nariz.

— Oberon ouve tudo, minha irmã, não há necessidade de chamá-lo. Além disso, tenho certeza de que ele está ocupado com Tulipa, curando os Senhores das Árvores feridos.

Babá não deu bola para o que a irmã disse.

— Bem, mesmo assim, eu quero mandar uma carta para ele, e eu gostaria de saber como a Tulipa está se saindo. Então, se você pudesse me arranjar papel e tinta quando chegarmos ao seu chalé, eu agradeceria.

— Bem, cá estamos.

As duas fadas tinham chegado ao chalé da Fada Madrinha.

— Oh! Veja só isso! — A Fada Madrinha bateu palmas de prazer. — Não é lindo?

As boas fadas aparentemente haviam andado muito ocupadas enquanto aguardavam a chegada delas. Fauna, Flora e Primavera tinham decorado o chalé com faixas cor-de-rosa e azuis, grandes laços brilhantes e bandeirolas. A casa parecia um dos bolos de aniversário da Sra. Tiddlebottom, mas muito mais berrante. Babá se esquecera de que sua irmã morava em uma casa tão idílica, com sua cerca branca perfeita e caramanchões cobertos de flores cor-de-rosa. Era como uma coisa saída de um conto de fadas, e Babá riu. Era *de fato* um conto de fadas. Estavam nas Terras das Fadas, afinal de contas.

As três fadas boas voaram em torno da Fada Madrinha como abelhas zumbindo, dando voltas de um lado para outro e enchendo-a de saudações, amor e admiração. Então, seguiu-se uma saraivada de perguntas que fez com que a cabeça de Babá girasse, cada uma das fadas falando ao mesmo tempo que as outras.

— Então, o que foi isso que escutei? As irmãs esquisitas realmente trouxeram Malévola de volta à vida?

— Vocês acham que ela estará em sua forma de dragão?

AS IRMÃS ESQUISITAS

– Não acham que ela pode trazer Úrsula de volta, não é?

As perguntas continuaram incessantemente até que Babá limpou a garganta ruidosamente.

– Fadas, fadas, por favor – a Fada Madrinha disse. – Eu gostaria que minha irmã entrasse e se acomodasse. Podemos discutir tudo isso na reunião do Conselho, no final da tarde.

As três fadas boas coraram; elas tinham se esquecido de cumprimentar Babá.

– Sim, claro, sentimos muito! – disseram as três fadas. – Vamos preparar tudo para a nossa reunião enquanto vocês se instalam.

E elas partiram antes que Babá pudesse dizer olá ou até logo. Ela riu, lembrando por que odiava as Terras das Fadas. Como as fadas eram frívolas e bobas, embora ela própria fosse uma. Foi por isso que decidiu não usar as asas e se identificar como bruxa.

Como se ela pudesse ouvir os pensamentos de Babá, a Fada Madrinha disse:

– Você sabe que terá que usar suas asas para a reunião, minha irmã.

Embora a irmã de Babá não compartilhasse seu dom de ler mentes, muitas vezes ela podia ler as expressões da Babá e adivinhar o que podia estar pensando.

Babá franziu o cenho.

– E quanto a Circe? Se ela aceitar sua oferta, você vai criar um par de asas e obrigá-la a usá-las? Ela é uma bruxa de verdade e não tem sangue de fada dentro dela, mas você ofereceu a ela a posição de fada dos desejos honorária.

A irmã de Babá bateu o pé com frustração.

— Mas você *é* uma fada! E deveria sentir orgulho disso!

Babá não queria discutir com ela. Precisava lembrar que sua irmã tinha assumido a responsabilidade de governar as Terras das Fadas por muitos anos e ela realmente estava fazendo o melhor que podia, sem a ajuda de Babá ou de Oberon. E agora Babá e Oberon estavam de volta, dizendo à Fada Madrinha que ela estava fazendo tudo errado quando ela tinha acabado de fazer as coisas do jeito que aprendera e do jeito que ela achava que estava certo. Babá percebeu isso claramente pela primeira vez e decidiu ajudar a irmã a fazer mudanças em etapas; caso contrário, iria virar as Terras das Fadas de cabeça para baixo. Babá pretendia mudar tudo. Ela só teria que ver o que as outras fadas tinham a dizer. Sabia que as três fadas boas ficariam do lado da Fada Madrinha, mas ela tinha quase certeza de que a Fada Azul concordaria com ela. E Oberon, bem, ele sempre escolhia o que era certo.

Quanto mais Babá pensava nisso, mais ela acreditava que era dever das fadas cuidar de todos que precisavam, e não apenas das princesas. E isso certamente viria à baila no julgamento das irmãs esquisitas. Se Grimhilde e Úrsula tivessem tido fadas para intervir em seu favor, talvez as irmãs não as tivessem destruído com sua magia vil e intrometida.

Babá sabia que não faria sentido, para alguém como a Fada Madrinha, as fadas fazerem um juramento para proteger os inocentes, fosse uma princesa necessitada ou um garotinho trazido à vida pelo desejo de um fabricante de bonecas. E isso significava trazer mais fadas para o conselho e bruxas, como Circe, para mudar a maneira como as fadas faziam sua magia há séculos. A primeira mudança seria Babá tomar o lugar da Fada Madrinha como líder das Terras das Fadas, mas isso também teria que acontecer devagar, por receio de magoar a irmã.

Babá só precisava fazer tudo isso da forma mais delicada possível.

— Sim, irmã, vou usar minhas asas se isso a deixa feliz. Devemos nos pôr a caminho para nos encontrarmos com as outras fadas? Elas estão nos esperando?

A Fada Madrinha sorriu.

— Sim, eu esperava que tivéssemos tempo para você se acomodar melhor, mas acho que deveríamos nos dirigir para a fonte de Oberon em breve.

Babá levou as coisas para o quarto de hóspedes e sentou-se na extremidade da cama por um momento, concentrando-se e reunindo coragem para tornar visíveis suas asas de fada. Ela estava nas Terras das Fadas, afinal, e talvez, ao fazer essas mudanças, finalmente se sentiria orgulhosa de ser uma fada.

— Irmã! Irmã, venha depressa! — Era a Fada Madrinha. Ela estava gritando na sala da frente.

Babá chegou correndo.

— O que foi? — ela perguntou, olhando para as fadas reunidas, todas amontoadas na cabana da irmã, e todas em estado de pânico. — O que aconteceu?

As três fadas boas e a Fada Madrinha estavam muito transtornadas para falar. Foi a Fada Azul, a etérea e luminosa criatura, quem falou.

— A Fada Madrinha acabou de receber um corvo de Oberon. É sobre as irmãs esquisitas. Elas conseguiram escapar da Terra dos Sonhos de alguma forma. Acordaram e saíram de Morningstar.

— Mas como isso aconteceu? Nem mesmo Circe pode quebrar a magia das fadas que as mantêm lá! Como elas escaparam? Foi Malévola?

— Oh, minha querida! Espero que não! – a Fada Madrinha respondeu.

— Então, quem as acordou? Elas não se acordaram sozinhas. Quem seria tolo o suficiente para libertar as irmãs esquisitas nos muitos reinos? – perguntou Primavera.

— Eu só posso pensar em uma criatura tão leal às irmãs que arriscaria tudo para libertá-las – disse Babá. – Pflanze.

CAPÍTULO IX

FLORES PERDIDAS

Branca de Neve e Circe estavam sentadas na sala de estar da Sra. Tiddlebottom, sentindo-se atordoadas e confusas. As flores trouxeram Hazel e Primrose de volta à vida, assim como Gothel esperava. Suas pobres irmãs finalmente acordaram e se aventuraram na Floresta dos Mortos.

Sozinhas.

— Nós temos que ir lá agora! Elas ficarão arrasadas quando virem o que aconteceu com a Floresta dos Mortos! — disse Branca de Neve, e Circe sabia que a prima tinha razão.

— Bem, minhas queridas — a Sra. Tiddlebottom disse —, vou fazer uma bela cesta de lanches para vocês levarem, se acham que devem ir. A Floresta dos Mortos não fica muito longe daqui, e aposto que é para onde elas estavam indo. De volta para casa.

A Sra. Tiddlebottom foi direto para a cozinha e começou a preparar sanduíches para a jornada.

— Por que cargas d'água ela as deixou partir? — A bruxa perguntou, levantando as mãos. Tentou não se frustrar com a velha senhora, mas não conseguiu evitar.

Branca de Neve franziu a testa para a prima.

— Não a culpe, Circe. Ela pensou que estivesse fazendo a coisa certa. Elas queriam ir para casa.

— Mas elas não têm para onde ir! Tudo está arruinado. A irmã delas está morta. Elas não sabem nada dos eventos que aconteceram depois de suas mortes. Estão perdidas e sozinhas, e ninguém sabe que tipo de poderes Primrose tem! Ela tem sangue de Manea, e eles foram ampliados por todas aquelas flores no campo! E a Sra. Tiddlebottom não está segura aqui com todas essas flores. Você leu sobre o que o reino de Rapunzel é capaz de fazer para possuir a magia da flor.

— Circe, acalme-se. Vai ficar tudo bem. Vamos empacotar a antiga biblioteca de Gothel e depois partir direto para a Floresta dos Mortos. Aposto que chegaremos lá antes de Primrose e Hazel, já que elas partiram a pé.

— Ok, esse é um bom plano — Circe concordou. — Pode perguntar à Sra. Tiddlebottom se ela tem alguns caixotes para que possamos arrumar os livros?

Branca de Neve sorriu.

— Claro.

E ela foi para a cozinha, deixando Circe sozinha com seus pensamentos.

Circe. Olá? Você está aí?

Era Babá. A bruxa tirou o espelho de mão do bolso.

Circe! Você tem que vir para as Terras das Fadas o mais rápido possível. Suas mães escaparam da Terra dos Sonhos e tememos que você e Branca de Neve estejam em perigo.

— Como elas escaparam? — Circe perguntou. Mas ela achava que sabia.

Circe limpou o espelho sem dizer mais nada, fazendo o rosto da Babá desaparecer.

— Mostre-me Pflanze! — Circe chamou.

E então ela a viu. A gata jazia imóvel no chão do solário, exatamente no lugar onde os corpos de suas mães ficaram, desde que usaram sua magia para destruir Úrsula.

— Oh, Pflanze!

Branca de Neve correu de volta para a sala, com os grandes olhos arregalados de preocupação.

— Circe, o que há de errado? Pflanze está aqui?

Ela estava olhando ao redor da sala procurando a majestosa criatura.

— Não, olhe!

Circe mostrou para Branca de Neve a imagem da linda gata sem vida no espelho.

Branca de Neve ofegou horrorizada.

— Pflanze! — Tulipa apareceu no espelho, caindo de joelhos ao lado de Pflanze. — Oh, meu Deus, o que aconteceu com você?

Branca de Neve e Circe assistiram-na chorar pela pobre gata.

Branca de Neve tocou o espelho, chamando freneticamente a princesa.

— Tulipa, ela está bem? Está viva? O que aconteceu?

– O espelho não funciona assim, Branca de Neve. Tulipa não consegue nos ouvir. – Ela limpou o espelho novamente e invocou Babá. – Mostre-me Babá.

O rosto da Babá apareceu instantaneamente.

Circe! O que aconteceu?

– Eu procurei Pflanze. Parece que alguma coisa aconteceu com ela. Tulipa está com Pflanze agora, mas não tenho como falar com ela.

Vou mandar uma mensagem para Oberon. Pensei mesmo que Pflanze tivesse alguma coisa a ver com isso. Acho que foi ela quem libertou suas mães da Terra dos Sonhos.

– Eu também acho. Por isso a invoquei. Babá, se Pflanze usou seus poderes para libertar minhas mães, ela pode não ter sobrevivido à provação.

Eu sei, minha querida. Eu sei. Deixe-me mandar uma mensagem para Oberon agora para que ele possa checar Pflanze. Enquanto isso, quero que leve Branca de Neve de volta para o seu próprio reino, e que você venha diretamente para as Terras das Fadas.

– Bem que eu queria ir, Babá, mas não posso. Temos que ir para a Floresta dos Mortos. A flor rapunzel cresceu nos campos da Sra. Tiddlebottom. Primrose e Hazel acordaram e estão indo para lá agora.

Nós não temos tempo para você voar para a Floresta dos Mortos, Circe! Não com suas mães à solta! Você não pode ajudar todas as pessoas necessitadas. Vai se destruir no processo se tentar!

– Mas, Babá, temos que fazer isso! Minhas mães são responsáveis pela destruição da casa de Hazel e Primrose, e pela morte da irmã delas! Elas estão mortas há centenas de anos. Eu não posso simplesmente deixá-las tropeçar nas ruínas de suas vidas. Não posso deixá-las passar por isso sozinhas.

Muito bem, minha menina. Mas, por favor, tome cuidado. Suas mães vão começar a procurar você. Precisa ser rápida na Floresta dos Mortos, minha querida. Muito rápida. Encante essas meninas, carregue-as com você e leve-as diretamente para as Terras das Fadas, se for preciso. Eu quero você aqui comigo. Não posso perder outra filha. Simplesmente não posso.

Circe ficou de coração partido por Babá.

— Terei cuidado, Babá, prometo.

Eu te amo, minha menina. Agora vá e chegue aqui o mais rápido que puder.

— Eu também te amo, Babá.

E a jovem bruxa passou a mão pelo espelho, fazendo Babá desaparecer. Então, guardou-o de volta no bolso de sua saia.

— Oh, Branca de Neve. Se Pflanze libertou minhas mães, receio que nós duas estejamos em perigo. Eu sei como lidar com elas, mas você... Estou preocupada com você.

A princesa cerrou a mandíbula, determinada.

— Você não vai me levar de volta para minha mãe. Ouça, Circe. Sei que você e Babá estão preocupadas comigo, mas eu sou mais velha do que você e, por mais que eu aprecie o amor e o cuidado que você me dedica, preciso que entenda que sou uma mulher adulta e posso tomar minhas próprias decisões. Eu vou com você para a Floresta dos Mortos. Sei que não sou bruxa, mas tenho a sensação de que encontraremos mais respostas lá.

— Acredito em você. Eu me sinto do mesmo jeito — disse Circe em voz baixa.

Branca de Neve se perguntou se este seria o momento certo para contar a Circe sobre suas suspeitas. Aquelas páginas que faltavam e que ela estava procurando... e se elas estivessem na Floresta dos Mortos? Talvez estivessem com os livros que Jacob havia escondido de Gothel depois que suas irmãs morreram. Branca de Neve não sabia ao certo, mas sentia como se tudo o que acontecia estivesse levando-as para a Floresta dos Mortos.

Circe tirou algo do bolso. Era uma espécie de medalhão, um pequeno frasco de prata preso a uma corrente para que pudesse ser usado como um colar.

— Branca de Neve, quero que use isso.

Branca de Neve pegou-o e olhou para a prima, com ar de interrogação. Circe podia ver que ela queria perguntar o que havia dentro, mas decidiu não perguntar. A expressão em seus olhos era clara: Branca de Neve confiava em sua prima. Ela não precisava saber o que havia no frasco. Amava Circe e não havia outra coisa que desejasse mais do que embarcar nessa aventura com ela.

— Estou feliz que confie em mim, Branca de Neve. E espero estar fazendo a escolha certa, levando você comigo. Mas prometa que fará tudo o que eu disser.

Branca de Neve sorriu para Circe, pegando sua mão e apertando-a com força.

— Eu prometo, porque confio em você.

Enquanto se abraçavam, a Sra. Tiddlebottom entrou na sala. O grande cesto em seus braços estava transbordando com mais comida do que elas poderiam precisar.

— Bem, minhas queridas, por favor, tenham cuidado em sua jornada.

A velha Sra. Tiddlebottom não é uma bruxa, ela não finge saber das coisas da forma como as bruxas fazem, mas pode farejar à distância um conto de fadas que está se desenrolando.

— Vou lhes dizer o mesmo que eu disse a Primrose e Hazel. Minha história está chegando ao fim, mas sinto que está apenas começando para vocês duas, minhas belas. Não se deixem envolver pela história de outra pessoa. Atenham-se ao seu próprio conto, minhas queridas. Escrevam seu próprio final se for preciso.

Circe lançou à Sra. Tiddlebottom um olhar estranho, enquanto Branca de Neve dava-lhe um beijo na bochecha.

— Sra. Tiddlebottom, havia um espelho no porão que pedi a Branca de Neve que trouxesse para a senhora. Se houver alguma coisa de que precise, é só chamar o meu nome e eu aparecerei no reflexo. É mais rápido do que me enviar uma mensagem por coruja ou corvo.

A Sra. Tiddlebottom sorriu para Circe e Branca de Neve.

— Acho que não irei precisar disso, mas tenho a sensação de que você se sentirá melhor sabendo que eu posso usá-lo em caso de necessidade, e você fez muito por mim, doce Circe. Isso é o mínimo que posso fazer por você. Agora vão! Deixem a velha Sra. Tiddlebottom descansar.

Branca de Neve e Circe guardaram tudo na casa das irmãs esquisitas: o cesto de comida, os caixotes de livros da biblioteca de Gothel e vários baús. Primrose e Hazel haviam deixado tudo para trás, até mesmo sua fortuna. Circe deixou para a Sra. Tiddlebottom um pequeno baú de moedas no quarto, o suficiente para manter a mulher feliz e bem alimentada por muitos anos. Ela achou que Primrose e Hazel não se importariam. A mulher cuidara delas todos aqueles anos em que estiveram mortas, afinal de contas. Era o mínimo que poderiam fazer.

Depois que tudo foi empacotado e acomodado, Branca de Neve e Circe pararam nos degraus da frente da casa das irmãs esquisitas e acenaram para a Sra. Tiddlebottom, que estava em pé no jardim. Ela pareceu incrivelmente velha para Circe, mais velha até mesmo do que Babá.

— Adeus, doce Sra. Tiddlebottom. Obrigada por tudo. — Ela olhou para a senhora, parada entre o mar de flores mágicas e se perguntou se a Sra. Tiddlebottom as usaria nela própria. Imaginou se ela escolheria viver outra vida. Por algum motivo, ela duvidava disso.

— Adeus, minhas queridas. Lembrem-se do que eu disse: escrevam seu próprio conto de fadas, meus amores! E tirem uma lição de uma página do livro da Sra. Tiddlebottom: fiquem longe de porões e quartos sangrentos!

Circe e Branca de Neve sorriram, sem saber o que dizer. Eles acenaram enquanto entravam na casa, prontas para embarcar em sua própria história.

CAPÍTULO X

O LUGAR ENTRE DOIS MUNDOS

Depois de ser violentamente arrancada da Terra dos Sonhos, Lucinda encontrou-se debaixo de uma grande árvore morta, de galhos retorcidos e nus que se estendiam em todas as direções como mãos ávidas tentando agarrar alguma coisa. As irmãs esquisitas sabiam exatamente onde estavam. Aquele era o lugar entre o mundo dos vivos e o mundo dos mortos. O lugar antes das névoas. Ela e suas irmãs estiveram ali antes.

O lugar intermediário.

Havia uma estrada no lugar intermediário, com apenas duas direções: para a frente e para trás. Mas sempre havia uma escolha.

As irmãs escolheriam voltar. Voltar para a filha delas. Voltar para a sua casa.

Mas, primeiro, elas precisavam descansar. Precisavam se recuperar. Ali era o lugar para onde todos aqueles que viveram por muito tempo iam para descansar seus corpos e espíritos. Era para onde Babá tinha ido para descansar quando ela estava cansada do mundo, antes de ir morar com Tulipa, e foi onde Oberon residiu quando ele foi dormir seu longo sono. O lugar intermediário não tinha espelhos. Lucinda não podia ver o que estava acontecendo nos mundos além. Mas podia ouvir o que se passava se ela escolhesse escutar atentamente.

Lucinda esperava encontrar Malévola ali. As irmãs esquisitas haviam lhe dito muitos anos antes que esperassem por elas naquele lugar, caso ela morresse, e elas a trariam de volta ao mundo. Mas não havia nada dela ali, exceto seus corvos e gralhas, empoleirados na imensa árvore morta, espectros silenciosos esperando que sua senhora voltasse para eles. O único que faltava era Opala, embora a sensação fosse a de que ela havia estado lá. Lucinda sabia que Malévola e Opala compartilhavam uma ligação especial, forjada na infância e na magia. Se alguém podia atrair Malévola do outro lado do véu da morte, era Opala. Lucinda olhou para a escuridão. O céu assemelhava-se a uma cortina negra roída por traças, com pequenos buracos de luz. O fato de que não conseguia encontrar suas irmãs Ruby e Martha naquele lugar não a assustava. Elas estavam ali, em algum lugar, simplesmente fora de sua visão. Lucinda as sentia e sabia que estavam bem, e era tudo o que importava. Ela precisava descansar, e era melhor que elas estivessem cada qual em seu próprio canto no lugar intermediário. Graças aos deuses por Pflanze.

A magia de Pflanze era magia essencial, uma magia indisciplinada que residia dentro dela e não era usada com frequência, se é que era usada. Criaturas com esse tipo de magia mantinham-na em reserva até o momento em que fosse mais necessária, e geralmente demoravam muito tempo para recompor sua reserva. Lucinda ficou agradecida por Pflanze ter usado sua magia naquela ocasião, mesmo que a magia fosse violenta e indomável. Mesmo que houvesse sido excruciante ser arrancada da Terra dos Sonhos. Elas estavam livres, e estavam em um lugar onde poderiam descansar e recuperar os poderes. Pflanze tinha providenciado até mesmo isso.

Havia tanto que precisavam fazer depois de deixarem aquele lugar, assim que estivessem fortes e prontas para assumir sua posição no mundo outra vez. Ela estava preocupada com o fato de que Malévola não estivesse ali como elas haviam conversado, e com a possibilidade de ela estar muito além do véu para conseguir voltar. Era por isso que elas precisavam de Opala. Se havia alguém que poderia atrair Malévola de volta à terra dos vivos, era ela. Lucinda e suas irmãs usariam qualquer meio disponível para trazer Malévola dos mortos, até mesmo a magia necromântica que haviam aprendido na Floresta dos Mortos. Elas precisavam de sua velha amiga ao seu lado para que pudessem governar em suas próprias terras como deveriam.

Elas levariam sua filha, Circe, de volta e a amariam como sempre amaram. E, se isso significasse destruir tudo e todos que ela amava, então que assim fosse.

Por enquanto, porém, elas descansariam. E esperariam.

CAPÍTULO XI

BRANCA DE NEVE E AS SETE BRUXAS

Circe e Branca de Neve pousaram a casa das irmãs esquisitas no grande pátio abaixo da mansão caindo aos pedaços na Floresta dos Mortos. Era como elas imaginavam. Um lugar morto cheio de beleza e impregnado de tristeza. Um lugar cheio de magia, sem sua rainha para manejá-la.

Elas olharam para a Cidade dos Mortos, um pouco além da densa linha de salgueiros-chorões, com seus galhos pendendo e desmoronando em pó. A cidade estava parada e silenciosa, mas Circe e Branca de Neve sabiam que era provável que os mortos ainda estivessem lá.

A fonte da Górgona sobre a qual elas haviam lido na história de Gothel ainda estava de pé, com suas ninfas dançantes congeladas no tempo, como se o deleite da Górgona com suas frivolidades as tivesse transformado inadvertidamente em pedra. Logo depois do pátio, à margem da Cidade dos Mortos, estavam as criptas de Hazel e Primrose. Branca de

As irmãs esquisitas

Neve e Circe ficaram tristes ao vê-las ali, lembrando-se de como Gothel ficara devastada quando perdeu suas irmãs. E a jovem bruxa tinha certeza de que tinha um dedo de suas mães na morte das duas. Ela simplesmente não sabia dizer como. Pensou que talvez encontrasse as respostas em um dos diários de suas mães ou nos livros de Gothel.

Enquanto olhava para a floresta, Circe sentiu-se oprimida pela destruição que suas mães causaram em toda parte. Havia muito sangue nas mãos delas. Houve tanta morte! E a solução estava ficando mais clara para ela a cada dia. Ela simplesmente não tinha a coragem de fazer isso. Ainda não.

Era estranho para as duas jovens verem o lugar em tal estado de ruína, sem Sir Jacob ou os outros servos sobre os quais haviam lido vagando pela floresta. Elas quase esperavam vê-los espiando por trás dos salgueiros-chorões mortos ou descansando sob um dos anjos chorosos de Gothel. Elas se perguntaram como Primrose e Hazel se sentiriam quando chegassem ali. Será que esperavam ver sua irmã Gothel? Doeu o coração de Circe pensar que elas esperavam encontrar a casa delas do jeito que a deixaram. Sim, era por isso que era tão importante que ela e Branca de Neve estivessem ali. Para contar sua história e a história de sua irmã, se quisessem saber.

A mansão estava em ruína quase completa, destruída pelos soldados do reino que tinham ido recuperar a flor mágica, expulsando Gothel e suas irmãs de sua casa muitos anos antes. Circe imaginou Sir Jacob e seu exército lutando para proteger a Floresta dos Mortos, esperando que um dia Gothel voltasse para aquelas terras e assumisse seu lugar como Rainha dos Mortos. Ela se sentiu desolada com a ruína de suas vidas e de seu lar, e das esperanças e sonhos de Jacob. E pensar que, todo esse tempo, Gothel estivera certa. As flores haviam trazido suas irmãs de volta à vida. Se ao menos as flores que Jacob plantara na pequena cabana tantos anos antes tivessem florescido a tempo!

— Por onde devemos começar, Branca de Neve? Pela biblioteca? Devemos ver se ainda está de pé?

A princesa assentiu sem dizer uma palavra, tão emocionada quanto Circe pelo estado da Floresta dos Mortos.

— Poderia repará-la? — ela perguntou baixinho. — Você tem esse poder?

Circe nem pensara nisso.

— Talvez, sim. E que ideia maravilhosa! Se Primrose e Hazel pretendem viver aqui, então acho melhor tentar.

— Devemos ver se... — Branca de Neve se interrompeu.

— O que foi, Branca de Neve? O que você ia dizendo?

A princesa torceu o lábio para o lado e o mordeu, como costumava fazer quando se sentia zangada ou insegura sobre alguma coisa.

— Eu ia perguntar se deveríamos verificar se Sir Jacob sobreviveu.

— É uma boa ideia. Vamos checar.

Mas Branca de Neve ainda estava fazendo aquela careta, o que levou Circe a pensar que ela não tinha certeza.

— Acha que deveríamos perturbá-lo? Na história de Gothel, ele disse que queria descansar.

A doce bruxa sorriu.

— Você é tão bondosa, Branca de Neve. E tem razão, ele disse mesmo isso, mas acho que gostaria de saber se suas bruxas estão prestes a voltar.

– Quanto tempo acha que temos até Hazel e Primrose chegarem aqui?

– Talvez mais um dia se elas estiverem a pé, eu acho.

– É tempo suficiente para você ajeitar um pouco as coisas enquanto eu dou uma olhada na biblioteca e talvez pesquise nos livros que pegamos na casa da Sra. Tiddlebottom?

Branca de Neve esperava desesperadamente encontrar as páginas faltantes da caixa das lamentações.

– Branca de Neve, o que é isso tudo, essa sua obsessão por páginas perdidas? O que é a caixa das lamentações?

– Não quero falar, Circe. Não até eu ter lido a história inteira. Por favor, confie em mim.

Circe segurou a mão de Branca de Neve enquanto elas caminhavam em direção à mansão.

– É claro que confio em você, prima. Confio em você com todo o meu coração. Vamos ver se a biblioteca ainda está de pé? E depois, talvez, quebrar nosso jejum com algo do banquete que a Sra. Tiddlebottom preparou para nós?

As duas moças subiram a colina até o que restava da mansão. Por dentro, não estava tão arruinada quanto temiam. Muitos dos quartos ainda estavam intactos, não danificados pela batalha. A maior parte da destruição concentrava-se nas paredes externas e no vestíbulo, e Circe imaginou que essa devia ser a mesma aparência do lugar depois que Manea atacou Gothel e suas irmãs anos antes. Ela e Branca de Neve ficaram contentes em ver que o quarto da manhã sobre o qual leram ainda era bonito; apenas algumas vidraças haviam sido quebradas, e a mobília não havia sido revirada ou danificada, como acontecera em alguns dos aposentos do andar de baixo.

— Isso não levará muito tempo para consertar — disse Circe, enquanto ela e Branca de Neve continuavam a explorar, em busca da biblioteca.

A biblioteca era uma das salas mais antigas da mansão, não um dos novos cômodos que Gothel havia construído para as irmãs depois que ela enviou o espírito da mãe para as névoas. Era triste ver aquele lugar, revivendo a história de Gothel e refazendo os mesmos caminhos que ela devia ter percorrido. Branca de Neve acomodou-se confortavelmente no antigo e costumeiro assento de Primrose na biblioteca, perto do entalhe em pedra de uma árvore começando a florescer. O entalhe era a única exibição de vida naquele lugar sombrio, afora as monstruosas feras de pedra gravadas nas paredes dos aposentos mais antigos. Branca de Neve sorriu ao pensar em Primrose, e esperava que ela fosse a pessoa doce que projetara em sua mente depois de ler a história de Gothel.

— Vou deixar você a sós na sua busca, se não se importar — disse Circe. — Não tenho muito tempo para tornar este lugar mais habitável para Hazel e Primrose.

Branca de Neve olhou para sua prima com seus lindos e gentis olhos castanhos.

— E você vai procurar Sir Jacob?

Circe sorriu e assentiu com a cabeça.

— Sim, vou procurá-lo.

Branca de Neve mordeu o lábio.

— No que está pensando, Branca de Neve?

— É só que... eu venho pensando... Como fomos capazes de entrar na Floresta dos Mortos? As fronteiras não são encantadas? E, mesmo que os servos e Jacob estejam aqui, como você os convocaria?

Circe não tinha certeza.

– Suponho que o encantamento tenha morrido com as últimas bruxas que governaram aqui.

Tal explicação não pareceu satisfazer Branca de Neve. Circe sabia que ela tinha mais perguntas, mas ela não as fez. A bruxa também se perguntou como as mães dela haviam entrado na floresta quando ainda eram meninas. Por enquanto, continuaria sendo um mistério.

– Estou com o espelho no bolso, Branca de Neve. Você está com o seu?

A princesa ergueu os olhos do livro que estava lendo atentamente enquanto conversavam e fez que sim com a cabeça.

– Me chame se precisar de mim. E não se esqueça de usar esse medalhão em todos os momentos – disse Circe.

Branca de Neve sacudiu a cabeça e riu.

– Posso não ser uma bruxa, mas fui criada por uma. Ficarei bem, Circe. Agora vá. Tenho muita leitura para fazer.

Circe deixou Branca de Neve às voltas com os seus livros enquanto percorria a mansão, consertando os estragos com um gesto de sua mão. Ela esperava que esse tipo de magia fosse difícil e exaustivo, mas praticamente não exigia esforço. Enquanto ela atravessava a mansão, sua magia trazendo a casa de volta à sua antiga glória, Circe sentiu-se como se estivesse trazendo o passado de volta à vida, preservando-o para Primrose e Hazel, assim como Gothel e Jacob preservaram as meninas.

Circe se viu de volta ao pátio, colocou as estátuas em suas posições originais e, para sua surpresa, encontrou duas jovens paradas diante das criptas de Primrose e Hazel, logo abaixo das palavras que Jacob havia gravado na pedra:

Irmãs. Juntas. Para sempre.

A aparência das jovens era exatamente como Circe imaginara.

Primrose tinha cabelos ruivos flamejantes e um leve salpicado de sardas em suas bochechas e nariz. Tinha curvas suaves, bochechas saltadas e uma energia inconfundível. A jovem bruxa podia sentir o sangue de Manea correndo em suas veias, embora ela se perguntasse se a própria garota sentia isso. E havia Hazel. Para Circe, Hazel era como uma deusa etérea dos mortos. Seus longos cabelos prateados se derramavam sobre os ombros e desciam até a cintura. Seu rosto era tão pálido e luminescente que ela não parecia muito humana.

Simultaneamente, as duas garotas se viraram para encarar Circe e sorriram. Não havia medo ou questionamento em seus olhos. Era como se elas soubessem quem ela era.

— Você deve ser Circe — disse a beldade ardente, Primrose.

A jovem bruxa vacilou.

— Como sabe quem eu sou?

Primrose e Hazel se entreolharam e sorriram.

— Nós sabemos tudo sobre você, Circe. Esperávamos encontrá-la aqui.

Circe caminhou em direção às adoráveis garotas. Ver as bruxas em casa, e novamente vivas, fez a perda delas por Gothel, e a perda de Gothel por elas, ainda mais pungente.

— Então sabem sobre sua irmã? Eu sinto muito.

As garotas sorriram novamente.

— Nós sabemos tudo, doce Circe. Por favor, não se preocupe. Claro que ficamos de coração partido por Gothel, mas ela escolheu seu próprio caminho. Como você está prestes a escolher o seu.

Ela se perguntou como as bruxas sabiam tanto, mas achou que seria rude perguntar.

Primrose riu.

— Não é rude perguntar, Circe. Nós confiamos em você.

Circe ficou em silêncio, esperando que Primrose continuasse.

— Nós ficamos no lugar intermediário desde que perdemos a vida. Gothel nos amarrou a este mundo preservando nossos corpos, mas nosso espírito residia em outro lugar.

Circe ficou horrorizada. A ideia de as irmãs de Gothel presas entre este mundo e o próximo provocou-lhe calafrios.

— Foi difícil no começo, até que aprendemos a escutar — disse Hazel, que até aquele momento estava em silêncio. Sua voz era serena. — Eu só queria que Gothel estivesse conosco. Gostaria que ela tivesse a mesma oportunidade de ouvir e aprender. Tempo para descansar e se recuperar do que nossa mãe fez a nós. Gostaria que ela tivesse o mesmo tempo que tivemos para deixar o sangue de Manea fortalecê-la como nos fortaleceu. Então, ela estaria aqui, e poderíamos ser bruxas juntas, como ela sempre quis.

O coração de Circe doía pelas três, irmãs que nunca se reencontrariam. Ela não sabia o que falar. Engolindo em seco, ela disse:

— Vocês ficarão contentes em saber que seu lindo quarto da manhã está exatamente como o deixaram.

Primrose e Hazel olharam em volta.

— Parece que tudo está praticamente como deixamos, graças a você.

— Vamos entrar, então? Eu gostaria de lhes apresentar minha prima Branca de Neve. Ela está na biblioteca, procurando as páginas que faltam numa história que a intrigou.

Primrose estreitou os olhos.

— Páginas que faltam? Elas são importantes?

— Bem, Branca de Neve parece pensar que sim. Está obcecada em ler histórias sobre a Floresta dos Mortos desde que lemos a história da sua irmã.

— Bem, se as páginas foram arrancadas do livro de contos de fadas, acho que ela não as encontrará em nossa biblioteca. Jacob retirou da biblioteca tudo o que era importante e escondeu. Ele estava tentando proteger Gothel, mantê-la a salvo de quaisquer histórias ou livros que pudessem machucá-la ou ajudá-la a tentar tolamente nos ressuscitar sem a flor.

Circe tinha que levar em consideração que aquelas bruxas provavelmente sabiam mais do que ela, tendo passado tanto tempo no lugar intermediário. E tinha que ter em mente também que as duas tinham centenas de anos de idade.

— Sim, embora ainda sintamos que temos a sua idade. E suponho que, levando-se em conta apenas nosso corpo, nós continuamos com sua idade mesmo. — Primrose disse com um sorriso. — Vamos encontrar esses livros e páginas que Jacob sabiamente escondeu da minha irmã enlouquecida?

Circe mal sabia o que dizer. Não era surpreendente que Primrose tivesse tal opinião sobre a irmã, mas não esperava ouvi-la dizer algo a respeito tão de imediato.

– Nós amamos nossa irmã, Circe. Realmente amamos, mas nós a vemos claramente. Nós a vemos mais claramente do que ela já se viu. Não tínhamos nada para fazer no lugar intermediário além de ouvir e aprender. Não nos entenda mal, lamentamos a perda dela, mas lamentamos a perda dela há muito tempo, desde muito antes de ela virar pó e passar para as névoas para ficar com nossas ancestrais.

As três bruxas percorreram os caminhos sobre os quais Circe e Branca de Neve haviam lido, passando pelos anjos chorosos sob os salgueiros mortos, seus galhos longos pendurados balançando ao vento e fazendo a luz do sol dançar. Elas alcançaram a cripta de que Circe se lembrava da história de Gothel, aquela com a grande imagem anatômica de um coração num vitral. Circe abriu a boca de espanto, sobressaltando as jovens bruxas.

– O que foi, Circe? Você está bem?

Ela não sabia como se sentia sobre acordar Jacob, se ele estivesse mesmo lá. Ela não tinha certeza se era justo, mesmo que precisassem da ajuda dele.

– Ele ficará feliz em te ver, Circe. Chame-o.

– Feliz em me ver? Ele nem me conhece!

Circe achou que as bruxas sabiam muito mais do que estavam compartilhando.

– Ele sabe de você. Suas mães não falavam de outra coisa. Não escreviam sobre mais nada em suas missivas.

Primrose e Hazel estavam sorrindo para Circe como se ela fosse uma velha amiga, não como se ela fosse alguém que tinham acabado de conhecer. Era estranho aquele sentimento de familiaridade que as duas pareciam ter com ela e o quanto ela própria se sentia confortável com ambas. Como se sentia estranhamente em casa naquele lugar esquisito e bonito.

— Mas essa não era eu. Essa era a verdadeira irmã delas. Aquela Circe, aquela sobre a qual escreviam, morreu — disse em voz baixa.

— Oh, você é ela, Circe. E você existe e sempre foi destinada a existir. Agora, por favor, chame Sir Jacob. Eu prometo que ele vai responder se estiver aí dentro — disse Hazel, pedindo que Circe tomasse coragem.

— Quais são as palavras?

Circe sentiu que estava à beira de alguma coisa importante. Ela sentiu que, ao fazer isso, estaria de alguma forma mudando sua vida para sempre.

— Você está certa, bruxa sábia — disse Hazel, lendo os pensamentos de Circe. — Agora, use suas próprias palavras e invoque Jacob.

A doce bruxa respirou fundo e pronunciou as palavras. Palavras que não vieram de um livro de feitiços, mas do coração dela.

— Sir Jacob, os vivos estão precisando do senhor mais uma vez. Se alguém merece descanso, é o senhor. Então, por favor, perdoe nossa intromissão e saiba que me dói despertá-lo do seu sono.

Primrose e Hazel sorriram ao ouvir a escolha de palavras da doce bruxa. Circe podia ver que elas aprovaram.

As irmãs esquisitas

A porta da cripta se abriu lentamente, com o som terrível de pedra deslizando contra pedra. Circe entendia agora por que aquele som havia provocado aflição em Gothel quando ela o ouvira.

Jacob ficou ali parado na porta aberta, espremendo os olhos contra a luz do sol. Ele se parecia muito com o que Circe esperava. Bastante alto e de compleição robusta, dava para ela ver que ele já tinha sido muito bonito. Ele segurou o chapéu de modo a proteger os olhos do sol enquanto saía lentamente da porta da cripta. Quando seus olhos se ajustaram, ele as viu. Ele viu as suas bruxas. Suas Primrose e Hazel. Seu rosto se contorceu em seu costumeiro sorriso maroto e o coração de Circe se encheu de alegria ao ver isso. Ambas as garotas correram para o querido e velho amigo, abraçando-o pela cintura. Então, ele olhou para cima e percebeu Circe. Ela viu o rosto dele ser tomado por expressão de reconhecimento que ela não esperava. Até parecia que o homem a conhecia. Que a amava. E ficara feliz em vê-la.

– Bem, aquela feita de três finalmente chegou à Floresta dos Mortos. Mas ela traz consigo a fúria de suas mães desabando sobre nós, como foi previsto, ou elas se encontram seguramente afastadas, como as ancestrais esperavam?

Circe ficou surpresa, confusa demais para responder.

Sir Jacob olhou para Primrose e Hazel.

– Ela não sabe, então?

As bruxas balançaram a cabeça.

– Não – Primrose disse. – Ela veio aqui com Branca de Neve em busca de respostas sobre suas mães. Acho que é hora de ela conhecer a verdade.

CAPÍTULO XII

SEMPRE LUCINDA

Branca de Neve estava sentada no quarto da manhã com uma pilha de livros que trouxera da biblioteca. Ela gostava mais daquele cômodo que dos outros. A pouca luz que havia na Floresta dos Mortos se infiltrava através das janelas, emprestando ao aposento um brilho quase alegre. Lamentava que Gothel nunca tivesse tido a chance de desfrutar de verdade daquele aposento do jeito que gostaria com suas irmãs. Branca de Neve não pôde deixar de lembrar de ter lido sobre a festa do solstício que Gothel fizera para as irmãs e sobre o quanto queria que elas adorassem morar juntas naquela casa.

Uma voz interrompeu suas reflexões:

— Branca de Neve, nós temos companhia.

Ela olhou para cima e viu Circe parada na porta com duas belas moças. As três estavam segurando pilhas de papéis e livros.

— Primrose! Hazel!

Branca de Neve levantou-se do pequeno sofá de leitura junto à janela e foi até as jovens bruxas, abraçando-as como se as conhecesse há muitos anos, não como se as estivesse vendo pela primeira vez, como era o caso.

Primrose sorriu.

– Eu sabia que você seria um doce – ela disse, enquanto as bruxas livravam-se dos fardos dos livros e papéis. – E tão bonita! Eu não esperava que você fosse tão bonita...

Branca de Neve corou profundamente, baixando os olhos. Ela nunca se sentira confortável com as pessoas comentando sobre sua beleza. Não era algo que considerasse importante. Não fora graças a ela que conquistara sua autoestima. Observando a obsessão de sua mãe com a vaidade, ela aprendera em tenra idade que a verdadeira virtude de uma mulher residia em seu coração.

– Venham sentar-se aqui. Acabei de preparar um bule de chá e há bastante para todas nós. Vou pegar mais algumas xícaras.

Hazel pegou a mão de Branca de Neve.

– Não, querida. Vou pedir para Jacob providenciar isso.

Branca de Neve procurou o homem sobre o qual ela havia lido.

– Jacob? Mas onde ele está?

Hazel olhou para a entrada.

– Está esperando ali fora. Ele temia que sua aparência pudesse assustá-la.

Branca de Neve correu para a entrada e encontrou-o logo ao sair do cômodo.

– Jacob, estou muito feliz em conhecê-lo. – Ela colocou as mãos nas laterais do rosto dele. – Você é tão bonito quanto eu imaginava. Não é de admirar que Manea estivesse tão apaixonada por você.

Jacob não disse nada enquanto Branca de Neve o levava para o quarto da manhã para se sentar com ela e as bruxas.

— Todos, por favor, sentem-se e tomem um chá.

Primrose riu e, de repente, a princesa se sentiu tola por agir como anfitriã na casa das bruxas.

— Me desculpem, é claro que a casa é sua e cabe a vocês oferecerem o chá. Eu não quis...

Hazel interrompeu Branca de Neve antes que ela pudesse continuar.

— Não, Branca de Neve, está tudo bem. Sempre imaginamos como você devia ser meiga e estamos muito felizes em conhecê-la em carne e osso.

Branca de Neve sentia a mesma coisa. Ela estava maravilhada com aquelas bruxas, trazidas à vida das páginas da história de Gothel. Ter acabado de ler sobre Hazel e Primrose, pensando que ela nunca teria a oportunidade de conhecê--las, e estar em sua casa falando com elas, era a coisa mais magnífica que ela havia experimentado em muitos anos.

Jacob pigarreou, chamando a atenção dela.

— Soube que você estava procurando algumas páginas faltantes. Posso perguntar qual história estava lendo? Talvez eu possa ajudar.

Branca de Neve mordeu o lábio, com medo de responder a Jacob. Ela não suportava admitir que a história era sobre ele. Não parecia apropriado pedir-lhe para fornecer a história de sua morte. Ela não queria magoá-lo.

— Não tenha medo, Branca de Neve. Jacob está aqui para nos ajudar. Nós nunca poderíamos imaginar você magoando alguém de propósito — disse Primrose.

A princesa sorriu e perguntou de brincadeira:

– Quer dizer que você também pode ler a minha mente? Estou cercada de leitoras de mentes, então?

Primrose riu.

– Não podemos ler sua mente, doce Branca de Neve, mas podemos ler a de Circe. E ela pode ler a sua. Então, acho que, de certa forma, nós sabemos o que você estava pensando. É tudo muito estranho, não é? E deve ser enlouquecedor. Faremos o melhor que pudermos para não deixar você desviar sua atenção com isso. Eu me lembro de temer os outros sabendo como eu estava me sentindo ou o que eu estava pensando, e agora acho isso bastante reconfortante.

– Acho que isso facilita as coisas – disse Branca de Neve com uma risada, e depois voltou sua atenção para Jacob. – Querido Jacob, eu estava lendo uma história envolvendo você e Manea no livro de contos de fadas. A mãe dela estava ameaçando matar você. O título da história era "A Caixa das Lamentações".

Jacob cambaleou, perdendo o equilíbrio, e quase caiu.

– Jacob! Por favor, sente-se. – Branca de Neve correu para ajudá-lo a sentar-se e pegou uma xícara de chá para ele. – Aqui, meu bom homem, beba isso.

Branca de Neve olhou para ele enquanto lhe entregava o chá. Seus olhos eram lindos, ou pelo menos ela achava que poderiam ter sido um dia, quando ele estava vivo. Ela quase podia ver o homem que ele fora, e seu coração se partiu quando ela se lembrou da história "A Caixa das Lamentações". Primrose e Hazel correram para Jacob e sentaram-se ao seu lado, segurando cada qual uma de suas mãos. Branca de Neve podia ver que Jacob não estava acostumado com esse tipo de atenção e isso o deixava desconfortável, mas ela também podia ver que ele estava tão feliz em ter as jovens bruxas de volta que nem protestava.

A princesa riu baixinho para si mesma. O pobre homem estava cercado por bruxas. Circe havia se ajoelhado à frente de Jacob e colocara a mão sobre o joelho dele.

— Jacob, você está bem? Existe algo que eu possa fazer por você? Sinto muito se a nossa vinda aqui o aborrecera.

— Não, minha bruxinha. Você é mais do que bem-vinda aqui. Eu venho esperando você há muito tempo. Sua vinda foi predita pelas ancestrais. — O rosto de Circe mostrava toda sua confusão. — Acho que é melhor você ler isso.

Jacob entregou-lhe a pilha de papéis que ele trouxera. As folhas pareciam ter sido arrancadas de um livro.

— "A Caixa das Lamentações"! Esta é a história que Branca de Neve estava lendo?

Branca de Neve pegou as páginas de Circe, com o coração acelerado.

— É, sim.

Ela foi até sua pilha de livros, pegou o livro de contos de fadas para entregá-lo para Circe.

— Eu realmente deveria ter te contado sobre isso, mas, antes de fazê-lo, queria ter certeza de que não estava tirando conclusões precipitadas.

— Suas conclusões estão longe de ser precipitadas — disse Primrose, sorrindo para Branca de Neve.

— Acho que todos vocês deveriam ler isso aqui primeiro — disse Branca de Neve, mostrando-lhes o livro de contos de fadas, que estava aberto em "A Caixa das Lamentações".

As irmãs esquisitas

— Ah, nós já sabemos a história — respondeu Primrose. —
E suponho que Jacob não poderia esquecer nem se tentasse.

Branca de Neve corou e entregou o livro para Circe, que
imediatamente ficou absorta na história.

— Claro que ele não poderia. Meu coração está cheio de
pavor desde que a li. Mas eu me pergunto: quem arrancou
essas páginas?

— Fui eu, doce majestade — Jacob respondeu. — Eu estava
tentando proteger minha pobre bruxinha, Gothel. Prometi
para a mãe dela que guardaria os seus segredos. E agora, bem,
parece que posso ter causado mais danos por tê-los guardado.

— Você fez o certo tentando protegê-la, Jacob. De verdade. Por favor, não se culpe. — Branca de Neve conteve
uma lágrima. — Sempre achei que o livro de contos de
fadas pertencesse às irmãs esquisitas. Como ele foi parar
nas suas mãos?

O rosto de Jacob se contorceu em um sorriso estranho.

— E pertencia mesmo. Mas nem sempre foi assim.

Branca de Neve achou que entendia o que ele queria
dizer. Tudo conduzira Circe e ela até ali, para a Floresta dos
Mortos. Tudo o que ela suspeitara desde que lera a história
de Gothel agora estava se revelando.

A doce bruxa abriu a boca de espanto. Parecia que
alguma criatura invisível roubara-lhe a vida. Ela parecia um
fantasma, seus olhos arregalados de terror.

— Circe, o que há de errado? — perguntou Branca de
Neve. — Você leu a história?

Circe assentiu, incapaz de falar, absorvendo tudo.

Branca de Neve foi para o lado dela, colocando o braço
ao redor da prima.

— Vamos ler o resto juntas, então, querida prima? Não tenha medo. Eu estou aqui do seu lado.

Manea havia desabado sobre o corpo sem vida de Jacob. Sua mãe tinha cortado a garganta dele. Manea chorava tanto que não conseguia respirar.

Ela fizera a sua escolha e perdera seu grande amor.

— Mãe... por favor... não tome... o meu bebê!

Ela mal conseguia pronunciar as palavras. Sentia como se estivesse engasgando com elas junto com sua dor esmagadora. Parecia que estava presa em um pesadelo do qual não conseguia acordar. Tudo que ela podia fazer era chorar. Era impotente. Sua mãe era poderosa demais e faria tudo o que quisesse com sua filha. Manea olhou para Nestis com olhos suplicantes.

— Mãe, por favor...

Nestis colocou a mão na cabeça da filha, dando-lhe tapinhas como se fosse uma criança chorosa ou um animal de estimação querido.

— Minha querida garota, por favor, pare de chorar. Eu prometo que você ficará feliz com suas filhas.

Manea sentiu a ruína de sua vida desabar sobre ela. Havia traído o amor de sua vida para salvar a filha, e sua mãe faria o que quisesse de qualquer forma. Manea não se atreveu a usar os pequenos poderes que possuía contra a mãe. Ela sabia que não era forte o suficiente. Sua mãe poderia matar com um único olhar se assim desejasse.

— Minha doce e confusa filha, isso foi escolha sua. Você poderia ter tido Jacob e suas filhas, mas optou por ficar contra mim e sofreu as consequências.

Manea chorou ainda mais, soluçando no peito de Jacob.

— Meu querido amor, sinto muito. Eu sinto muito. Por favor, me perdoe. Oh, por favor, me perdoe.

Nestis perdeu a paciência com Manea e lançou-a violentamente através da sala com um aceno de mão.

— Pare com esse absurdo imediatamente, Manea! Não quero uma filha minha se degradando por causa de um ser humano! — Ela embalou a menina em seus braços. — Agora, recomponha-se e comece a se comportar como a futura rainha destas terras! Entendeu?

Ela não esperou a resposta de Manea. Virou-se e saiu do quarto com a criança, deixando Manea sozinha.

Com o corpo de Jacob.

As mãos e o vestido de Manea estavam cobertos pelo sangue dele, por ela ter tentado impedir a hemorragia. Ela ficou ali chorando pela morte dele e pela perda do relacionamento que achava que tinha com a mãe.

E pela perda de sua filha. Sua querida menina.

O que ela ia fazer?

Não sabia como contatar as ancestrais sem a caixa das lamentações. Sua mãe a destruíra.

Elas haviam prometido que tudo ficaria bem. Haviam prometido que não deixariam aquilo ir longe demais.

Tinha que confiar nelas. Confiar que elas não deixariam nada acontecer com sua filha.

Enquanto estava ali sentada, perguntando-se o que estava por vir, os esqueletos lacaios de sua mãe entraram na sala, seus ossos sacudindo e raspando pelo chão de pedra. Ela crescera com aquelas criaturas silenciosas e taciturnas se esgueirando pela casa. Sua mãe as usava como servos. Estavam sempre prontos para obedecê-la.

Manea não podia suportar a visão deles. Quando fosse rainha daquelas terras, ela os mandaria embora para que não tivesse que sentir suas órbitas vazias sempre a observando. Sem cerimônia, os grotescos esqueletos ergueram o corpo de Jacob.

— Para onde vocês o estão levando? — Manea choramingou.

Mas eles não responderam. Nunca respondiam. Ela não podia suportar o silêncio deles. Era pior do que a cacofonia de mil harpias e, para Manea, mais mortal. Parecia que poderia se afogar na ausência de palavras deles.

Manea ficou encolhida no canto, coberta pelo sangue de seu amado, enquanto observava os esqueletos lacaios levando-o embora.

Ela olhou para o berço de ninho de corvo vazio, onde sua filha deveria estar, e sentiu-se entorpecida. Ela não tinha outra escolha senão esperar e ver o que aconteceria. Sua mãe era muito forte. Ela era a rainha daquelas terras. E as ancestrais não fariam nada além de garantir que sua mãe não tentasse estender seu alcance para além da Floresta dos Mortos. Nunca se sentira tão sozinha, tão assustada e tão apavorada.

Lá fora, o céu estava ficando lilás. Parecia outro mundo fora das janelas do quarto do bebê, e ela tinha medo de enfrentá-lo. Medo de viver em um mundo sem Jacob. Medo de viver em um mundo com uma mãe capaz de fazer isso com ela. Então, ela se sentou sozinha, esperando que sua mãe voltasse. Esperando que trouxesse sua filha de volta para ela.

Suas filhas, ela lembrou a si mesma. Logo ela teria três. Ela seria capaz de contar para a própria filha sobre as abominações que sua mãe estava criando? Saberia qual delas ela mesma trouxera ao mundo e quais haviam sido criadas por magia?

— Elas são todas suas filhas, minha querida garota. Cada uma delas. E sei que você vai amar a todas igualmente.

Nestis estava parada na porta entre dois de seus esqueletos lacaios. Cada um dos três estava segurando um bebê. Manea ficou tonta e o quarto balançou; tudo estava entrando e saindo de foco enquanto ela tentava desesperadamente identificar sua própria filha entre as três crianças diante dela.

— Eis as suas filhas, Manea.

Sua mãe estava radiante quando ela e os lacaios colocaram os bebês no berço de ninho de corvo.

— Olhe para elas, meu amor. Elas são perfeitas.

Manea se levantou devagar. Sentiu como se estivesse pisando na água. Aquilo devia ser um pesadelo. Não poderia estar realmente acontecendo. Mas lá estavam elas, todas as três, perfeitas, bonitas e ilesas.

— Elas serão as bruxas mais poderosas que esta terra já viu! Guarde as minhas palavras, Manea. Suas filhas serão a ruína de todos os nossos inimigos!

— O que você fez? O que as minhas filhas se tornarão?

Nestis riu de um jeito que Manea nunca ouvira antes; uma risada perversa, cruel e cheia de loucura e desprezo.

— Elas trarão escuridão para o mundo, meu doce. As baladas contando seus feitos homicidas serão ouvidas em todos os reinos!

Manea olhou para as filhas e não conseguiu distinguir umas das outras. As três eram idênticas, imagens espelhadas uma da outra.

— Qual delas é a minha? — ela perguntou, mas sua mãe apenas gargalhou mais forte.

— Elas são todas suas filhas, Manea.

— Mas qual delas é Lucinda? — ela gritou, fazendo todos os bebês, menos um, chorarem.

E então ela soube. Algo dentro dela dizia que aquela era Lucinda. Sua filha verdadeira. A primeira.

— Elas são todas Lucinda. Elas sempre serão Lucinda. Elas são uma só — disse a mãe de Manea. — Mas dê a elas seus próprios nomes. Dê a elas seu próprio poder. Dê a elas seu amor e orientação. Elas são suas. Todas elas.

Nestis deixou Manea sozinha no quarto de bebê com suas filhas. Manea pegou Lucinda, olhando para as outras duas.

— Ruby — ela batizou uma. — E Martha — ela disse, olhando para os bebês inocentes em seu ninho. — Lucinda, Ruby e Martha.

— Mas sempre, sempre Lucinda.

CAPÍTULO XIII

ASSASSINATO NA FLORESTA DOS MORTOS

Os corvos sobrevoavam em círculos a Floresta dos Mortos, obscurecendo a luz do sol como nuvens agourentas e sinistras. Seus grasnidos e guinchos eram fantasmagóricos e aterrorizantes.

Branca de Neve e as bruxas colocaram de lado as páginas do livro de contos de fadas e correram para as grandes janelas do quarto da manhã, pressionando-se contra elas, observando as criaturas circulando cada vez mais perto. A princesa ofegou.

– Quem os enviou?

Circe não sabia. Eles lhes pareciam familiares de certa forma, mas não podia sentir nada deles. Era muito estranho não sentir nada daquelas criaturas. Não havia força vital dentro delas. Nada mesmo.

– Eles não estão vivos, Circe. São coisas mortas enviadas por suas mães.

O coração de Circe bateu descompassado.

— Hazel, tem certeza? Eu não sabia que minhas mães utilizavam corvos ou podiam comandar os mortos!

Primrose apertou os olhos para os ameaçadores pássaros, como se estivesse tentando avaliá-los, para sentir algo que talvez Circe fosse incapaz de detectar.

— São os pássaros da Malévola, mas foram enviados pelas irmãs esquisitas.

Algo sobre essa afirmação deixou Circe aterrorizada.

— Minhas mães estão mortas, então? Ou elas enviaram Malévola aqui para nos destruir?

— Não, elas não estão mortas, mas comandam os mortos assim como a mãe delas comandava e também a mãe de sua mãe antes dela. E elas estão vindo para cá para tomar o que pensam ser o seu lugar de direito — disse Hazel.

— O que ela quer dizer, Circe? Suas mães estão vindo para cá? — Branca de Neve entrou em pânico.

Circe não entendia como as bruxas sabiam tanto, mas confiava nelas. Ela não sabia por quê, mas confiava.

— Tenho que tirar Branca de Neve daqui — disse ela, olhando para as bruxas. — Eu sinto muito. Mas minhas mães têm sede de vingança contra a Branca de Neve e ela está em perigo se ficar aqui. Temos de ir!

Circe pegara Branca de Neve pela mão e estava pronta para fugir. Ela odiava a ideia de deixar Jacob, Primrose e Hazel lutando contra as irmãs esquisitas sozinhas, mas sentia que tinha cometido um erro ao levar Branca para lá, e queria tirá-la da Floresta dos Mortos imediatamente.

— Eu voltarei. Prometo que não vou deixar vocês aqui sozinhas por muito tempo. Só quero deixar Branca de Neve em segurança – disse Circe, sentindo-se em conflito. E se sentindo presa em uma armadilha.

– Suas mães voam entre os corvos, pairam na brisa, deslocam-se entre as sombras, atravessam o mar, movem-se entre as velas, flutuam entre a fumaça e despertam um alerta dentro de mim – disse Hazel, com os olhos cinzentos sombrios.

– O que está dizendo, Hazel? – perguntou Circe ainda em pânico com o pensamento de suas mães atacando Branca de Neve.

– Minha irmã está dizendo que suas mães estão em toda parte. Você não pode escapar delas, então também pode enfrentá-las aqui – disse Primrose.

Seu amplo e amigável sorriso não vacilara nem uma única vez desde que haviam chegado.

– Mas, e quanto à Branca de Neve?

– Esta também é a história dela, querida Circe. Todos os nossos destinos estão conectados. Você ainda não percebeu isso? – perguntou Hazel.

– Branca de Neve não é uma bruxa!

– É verdade, mas a mãe dela é e, embora elas não sejam parentes de sangue, existe um vínculo entre elas tão puro e tão profundo que ela se enredou nesse conto de fadas, mesmo assim.

– Quanto tempo temos até elas chegarem aqui? – perguntou Circe, olhando pela janela e observando os corvos.

– Ainda temos tempo. Suas mães não estão fortes o suficiente para chegarem até aqui... ainda não – informou Hazel, contemplando os corvos junto com Circe, como se ela conseguisse informações deles.

AS IRMÃS ESQUISITAS

– Sim, nós temos tempo. Mais tempo do que precisamos, na verdade. Ainda há muita coisa que você não sabe. E queremos você conosco quando souber a verdade. Queremos ajudar – disse Primrose.

Circe pensara que ela tinha ido para lá ajudar Primrose e Hazel. Achou que elas estariam sozinhas, assustadas e perdidas. Mas acabou descobrindo que quem estava perdida era *ela*. Era ela quem precisava de ajuda. E estava grata pelas bruxas estarem ali com ela. Grata por estar em casa.

Esta é a minha casa. Circe sentiu-se pela primeira vez como se estivesse em um lugar ao qual ela realmente pertencia. Ela se sentia em casa em Morningstar e na casa de suas mães, é claro, mas esse lugar era diferente. Sentia como se realmente pertencesse à Floresta dos Mortos. Sentia uma conexão com o lugar, pelo sangue e por direito. Ali era o lugar onde ela ficaria. Era o lugar que ela chamaria de lar. Isso a confortava e assustava ao mesmo tempo.

– Isso mesmo, minha querida. Você está em casa. Esta é sua terra tanto quanto é nossa. Você nasceu de Lucinda, Ruby e Martha. Herdará a Floresta dos Mortos depois que suas mães morrerem – disse Hazel.

Aquilo era demais. Circe estava mais zangada com suas mães do que já estivera. Havia tanta coisa que elas tinham escondido dela! Tantos segredos...

– Por que elas não cresceram aqui? Por que minhas mães não lhes disseram quem elas eram quando vieram aqui tantos anos atrás, quando todas vocês eram garotas?

Jacob, que estava sentado em silêncio na poltrona, finalmente falou. O som repentino de sua voz grave assustou as bruxas e Branca de Neve, que haviam se esquecido de que ele estava lá.

— Manea mandou nossas filhas embora. Mas você está certa, Circe, minha neta. Há muito mais ainda nessa história.

A jovem bruxa ainda nem tinha se dado conta disso. Estava preocupada demais com Branca de Neve e suas mães. Ela se sentia atônita, confusa e sobrecarregada. Jacob era seu avô!

— Claro que está atônita e confusa, minha doce Circe. Jacob entende — disse Primrose, lendo a mente da amiga. — Isso é demais até para as bruxas mais fortes. E você é a bruxa mais forte da nossa época. Ainda mais forte do que suas mães. Mais forte do que a nossa mãe e a mãe dela antes dela. Você tem o poder de deter as suas mães, Circe. Nós só esperamos que escolha o caminho certo.

Jacob se levantou da poltrona e colocou a mão no rosto da neta.

— Oh, como eu gostaria que Manea tivesse sua força e poder. Nada disso teria acontecido. Eu gostaria de nunca ter permitido que nossas filhas fossem mandadas embora apenas para voltar e destruir tudo.

Primrose tomou as mãos de Jacob com ternura nas dela.

— Lucinda, Ruby e Martha tomariam esse caminho de qualquer maneira. Não é sua culpa, Jacob — ela disse.

— Como vocês sabem tudo isso? É assombroso. Bruxas ou não, vocês sabem demais — disse Circe, olhando para Primrose e imaginando como era possível que pudessem saber tanto sobre ela e suas mães.

– Tudo pode ser ouvido no lugar intermediário se você escutar com bastante atenção – explicou Primrose. – Não tínhamos mais nada a fazer além de ouvir. Da mesma forma como as suas mães sempre estavam atrás dos espelhos, observando, nós estávamos sempre atrás do véu da morte, escutando.

Tal pensamento provocou arrepios em Circe. E, de repente, sentiu medo de que suas mães as escutassem agora.

– Vocês acham que minhas mães estão no lugar intermediário? Acham que elas estão ouvindo?

– Eu acho – respondeu Hazel. – Eu as sinto, mas elas ainda estão muito distantes.

CAPÍTULO XIV

O Conselho das Fadas

Babá observava a Fada Madrinha borboleteando de lá pra cá, preparando tudo para a reunião do Conselho das Fadas. Estava providenciando o chá com bolinhos, arrumando biscoitos decorados com glacê cor-de-rosa, e servindo suas melhores geleias com pãezinhos. Se não conhecesse bem a Fada Madrinha, Babá diria que sua irmã estava mais preocupada com o chá das cinco do que em elaborar um plano de batalha para impedir que as irmãs esquisitas tentassem destruir as Terras das Fadas.

— Irmã, você pode pegar o jogo de chá cor-de-rosa enfeitado com rosinhas? Tenho muito que fazer e apreciaria a sua ajuda — disse a Fada Madrinha enquanto depositava sobre a mesa um prato de tortinhas de cereja.

Babá conjurou o jogo de chá com um aceno de mão.

— Eu gostaria que você usasse a sua varinha! — disse a Fada Madrinha, lançando um olhar feio à irmã, ou, pelo menos, o mais próximo disso que era capaz de demonstrar.

Se alguém mais tivesse visto a expressão em seu rosto, não teria adivinhado que ela estava zangada com Babá. – É o que uma verdadeira fada faria.

– Por que devo usar uma varinha quando não preciso? – Babá tentava não se aborrecer com a irmã, mas, desde que haviam voltado para as Terras das Fadas, a irmã estava ficando cada vez mais "fadinha".

– E não se esqueça de tornar visíveis as suas asas! – a Fada Madrinha cantarolou.

Babá suspirou.

– Sim, irmã.

– Não revire os olhos para mim, irmã! Sabia que existem humanos que dariam qualquer coisa no mundo para ter asas de fadas? E aqui está você, temendo usá-las! – disse a Fada Madrinha, estalando a língua em sinal de desaprovação para a irmã.

– Eu as daria alegremente a alguém que as quisesse mais do que eu. Você sabe disso. Agora vamos, por favor, mudar de assunto antes que fiquemos ainda mais zangadas uma com a outra – aconselhou Babá.

A Fada Madrinha conjurou adoráveis pratos, paninhos rendados e um belo bolo cor-de-rosa e azul de quatro camadas.

– Sim, claro, você está certa! Falou com Tulipa? Ela mencionou se Oberon participaria da reunião?

– Ela não disse. Os dois andam ocupados com suas aventuras.

– Não sei o que há com essa jovem! Às voltas por aí com tipos como os Senhores das Árvores. O que os pais dela vão pensar?

— Receio que esse seja outro assunto sobre o qual não concordaremos, querida irmã.

— Bem! Talvez devêssemos nos concentrar apenas em nos preparar para a reunião. Coloque alguns laços nas costas dessas cadeiras, está bem? As outras fadas estarão aqui a qualquer momento!

— Laços? — Babá ficou horrorizada.

— Puxa vida, você não é de grande ajuda! Vou cuidar disso sozinha, então! — A Fada Madrinha agitou a varinha com um ar de aborrecimento enquanto conjurava espalhafatosos laços cor-de-rosa nas costas das cadeiras em torno da mesa do Conselho. Ela recuou e examinou seu trabalho. — Ficou lindo, você não acha?

Babá olhou em volta, rindo para si mesma ao perceber que, com as flores de cerejeira desabrochando e as decorações da Fada Madrinha, estava cercada de cor-de-rosa. Afinal, estava nas Terras das Fadas, não é? Ela pediu aos deuses que lhe dessem forças para ser paciente com as fadas. Especialmente com a irmã.

Enquanto Babá e a Fada Madrinha terminavam seus preparativos, as outras fadas do Conselho começaram a chegar. Babá e sua irmã haviam arrumado tudo no pátio, perto de uma fonte com uma estátua em tamanho natural de Oberon no centro. As flores de cerejeira haviam caído na água e estavam espalhadas pelos paralelepípedos. Estando ali novamente, Babá começou a sentir seu coração doer de tristeza quando se lembrou de Malévola. Mas ela afastou tais lembranças. Detestava o fato de que Circe estivesse tão distante, especialmente agora que suas mães estavam à solta e Grimhilde tramava algo. E se as irmãs esquisitas pudessem realmente invocar Malévola dentre os mortos? Como Babá seria capaz de encará-la? Ela tentou afastar todos os seus medos para longe. Pelo menos ela não temia por Tulipa. Ela estava segura com Oberon. Ele iria protegê-la. Uma pessoa a menos para se preocupar.

Mas Circe... Babá não havia tido notícias dela e estava começando a se preocupar.

— Irmã, vou dar uma escapulida e falar com Circe, só por um momento. Estou preocupada com ela.

— Não há tempo. Está todo mundo aqui.

Babá suspirou.

— E vejo que você esqueceu suas asas! — a Fada Madrinha acrescentou, tocando as costas da irmã com sua varinha. — *Bibbidi bobbidi boo*! Aí está!

Babá respirou fundo, desejando não ficar zangada com a irmã. Ela odiava aquela bobagem de *bibbidi bobbidi*. E odiava suas asas.

Babá nunca suportou o fardo delas. Achava-as opressivas e pesadas. Ela se lembrava de sua conversa com Malévola quando sua protegida ainda era pequena e lamentava sua falta de asas. *"Minha querida, asas não são tudo isso que falam! Eu juro, você não está perdendo nada!"* Babá não pôde deixar de rir. Como é que ela foi parar ali nas Terras das Fadas, obedecendo sua irmã e usando asas? *"Acha que fadas têm liberdade porque podem voar para onde quiserem, minha pequena fada-bruxa?"*, ela dissera uma vez a Malévola. *"Bem, minha querida, você tem mais liberdade sem elas. Um dia vai entender. Ficará feliz por não ter asas".*

Todas as fadas estavam reunidas no pátio, tagarelando sobre a decoração e fofocando sobre a notícia das irmãs esquisitas.

— Fadas, fadas, por favor, sentem-se em seus lugares! — disse a Fada Madrinha, batendo palmas como uma severa diretora tentando chamar a atenção das demais, e depois ocupando o assento central, de costas para a cerejeira. — Irmã, sente-se aqui à minha direita. — Ela bateu na cadeira ao lado dela várias vezes com a varinha, produzindo um jato de faíscas cintilantes a cada toque.

Babá não achava que ela pretendia parecer mandona, mas sempre havia algo no comportamento de sua irmã que a fazia parecer assim. O mesmo acontecia com Primavera, a favorita de sua irmã, que se deleitava em repreender Fauna e Flora.

— Fauna! Flora! Sentem-se — a fada gritou. — Vejam este esplêndido banquete que foi preparado para nós! E num dia tão lindo! Agora tomem cuidado para não derramar chá ou esparramar geleia na adorável toalha de mesa.

Babá riu.

— Os dias são sempre lindos nas Terras das Fadas, não é mesmo? Eu não consigo imaginar um dia nublado aqui. Minha irmã não permitiria!

As três fadas boas riram nervosamente. Apenas a Fada Azul parecia à vontade na companhia de Babá.

— Olá, Babá. Estou tão feliz em vê-la novamente!

Babá nunca se acostumou com a luminescência da Fada Azul, mas sempre a achara muito amável... a própria personificação do que Babá pensava que uma fada deveria ser. Gentil, amorosa e carinhosa.

159

— Estou tão feliz em te ver! – disse Babá.

Sentiu vontade de lhe dizer que sempre haveria um lugar para ela em seu coração, desde que a Fada Azul apoiara Malévola durante os exames para fada muitos anos antes. Mas ela não queria deixar as outras fadas desconfortáveis. Então, apenas sorriu para a Fada Azul, esperando que ela conhecesse a estima que nutria por ela.

— Agora, já que todas nós temos nossas xícaras e pratos cheios, eu gostaria de começar a reunião! Estamos aqui para discutir a questão muito séria das irmãs esquisitas – disse a Fada Madrinha, empilhando pequenos bolinhos cor-de-rosa em seu prato estampado com rosinhas. – Oh, Primavera! Eu acho que você vai gostar desses bolinhos que temos hoje! Eles são de semente de papoula e limão, seu favorito! E, Fauna, você vai simplesmente desmaiar quando provar o chá de rosa-mosqueta! O mel que Flora me deu do jardim dela é delicioso. Todos devem experimentar!

A Fada Madrinha cantarolando sobre as várias delícias da mesa estava quase levando Babá ao desespero.

— Oh! Parece que já estamos ficando sem bolinhos! Bem, lá vamos nós! – ela disse, enchendo os três andares do suporte para bolos mais uma vez com um sorriso alegre.

Babá não podia deixar de sentir que a irmã não levava a situação a sério. Era exatamente o tipo de coisa que frustrava Babá sobre as Terras das Fadas: a desnecessária frivolidade diante da destruição. Mais cedo, naquele dia, sua irmã estava gaguejando e em pânico, e agora estava servindo chá e bolos, em vez de convocar um conselho de guerra como deveria. Havia algo na água das Terras das Fadas que deixava todo mundo tonto e estúpido? Babá limpou a garganta, fazendo a Fada Madrinha olhá-la de lado.

— Tenho certeza de que minha irmã, Aquela das Lendas, embora aqui a chamemos carinhosamente de Babá, gostaria que falássemos de negócios. Faz muito tempo que ela está longe das Terras das Fadas e esqueceu seus bons modos de fada — disse a Fada Madrinha, dando a Babá um olhar que não a impediu de adotar uma abordagem mais séria do que sua irmã estava tomando.

— A situação com as irmãs esquisitas *é* bastante séria, e acho que precisamos começar a trabalhar antes que tenhamos de arcar com a destruição das Terras das Fadas mais uma vez — disse Babá. Ela continuou antes que sua irmã pudesse responder: — Nós deveríamos estar procurando ajuda de Oberon e seus Senhores das Árvores e de quem mais estivesse disposto a lutar ao nosso lado para nos defender, e não beber chá e conjurar laços!

— Agora escute aqui, eu sei que governou as Terras das Fadas depois que Oberon partiu, mas você abandonou seu posto e o deixou para mim. Eu não vou tolerar você dando ordens na minha própria mesa!

A Fada Azul sorriu para a Fada Madrinha.

— Sinto muito, Fada Madrinha, mas acho que Babá pode ter razão. Se Oberon não houvesse descoberto que as irmãs esquisitas planejavam despertar o espírito de Malévola dos mortos, nós nunca saberíamos. Sinceramente, estou surpresa por ele não estar aqui fazendo planos para defender as Terras das Fadas. E agora ficamos sabendo que as irmãs esquisitas foram libertadas da Terra dos Sonhos.

Desculpe, Fada Madrinha, mas Babá está certa. Algo tem que ser feito imediatamente!

– Elas sempre foram uma ameaça. A partir do momento em que as vi, soube que não trariam nada além de ruína e caos! – disse a Fada Madrinha.

– Oh, que tolice! – disparou Babá, frustrada com sua irmã. – Elas eram bebês quando você colocou os olhos nelas pela primeira vez! Como poderia ter visto isso?

Babá olhou para o rosto chocado das fadas. Era óbvio que elas nunca tinham visto ninguém enfrentar a Fada Madrinha, que no momento parecia um pássaro agitado sacudindo água de suas penas, de tanta raiva que estava.

– Agora escute aqui! Os crimes das irmãs esquisitas serão relatados! Eles serão registrados! – ela disse, tremendo.

– Eles *já estão* registrados! No livro dos contos de fadas! Basta ler para comprovar seus vários crimes! – disse Babá, chateada por sua irmã estar perdendo tempo.

– Eu vou colocá-las no registro das fadas! – gritou a Fada Madrinha. – Sua maldade vem acontecendo há tempo demais! Permita-me apresentar meu caso contra elas. – Ela limpou a garganta. – Acusação número um: Branca de Neve. As irmãs esquisitas atormentaram a pobre menina e enlouqueceram sua mãe, encorajando-a a matar Branca de Neve! Ainda bem que ela só conseguiu colocá-la em um sono encantado! E elas deram a Branca de Neve um espelho com o fantasma de Grimhilde preso lá dentro! E, como se não bastasse, elas *ainda* estão invadindo os sonhos da garota depois de todos esses anos. Acusação número dois: Bela. As irmãs encorajaram Circe a amaldiçoar a pobre Fera, a incompreendida criatura que ele era e todos em seu lar. Mas Bela foi a verdadeira vítima. Elas lançaram feitiços traiçoeiros para mandar a pobre Bela para a mata para ser devorada por lobos! – A Fada Madrinha limpou a garganta novamente. – Acusação número três: Ariel. Como se a acusação anterior já não fosse repreensível o bastante, elas conspiraram com Úrsula para matar Ariel! Sem mencionar seus planos de tirar Tritão do trono, e quase conseguiram matar o príncipe Eric. Que fique devidamente registrado que há duas vítimas adicionais nessa acusação! Acusação número quatro: Aurora. Elas ajudaram Malévola, por meio de magia negra pútrida, a criar Aurora! E, apesar de amarmos nossa princesa, aquela pobre menina, o que seria dela se realmente fosse atrás da mãe? Foi completamente irresponsável da parte delas colocar uma futura princesa em perigo assim! Acusação número cinco: Rapunzel! Elas conspiraram e ajudaram aquela horrível ladra de bebês, a bruxa Gothel, a esconder Rapunzel de sua inconsolável e angustiada família!

Babá revirou os olhos. Sim, tudo que sua irmã acabara de dizer era verdade. Mas não era toda a história. Como de costume, ela não levara em conta as vítimas que não eram príncipes ou princesas.

– Sim, deixe o registro refletir as várias acusações que pretendemos apresentar contra as irmãs esquisitas durante o julgamento, se realmente sobrevivermos ao ataque – disse Babá, lançando um olhar sério para a irmã. – Sei que algumas de vocês terão dificuldades com isso, mas sinto que é parcialmente nossa culpa que as irmãs esquisitas tenham ido tão longe. Se Malévola tivesse alguém cuidando dela, as

As irmãs esquisitas

irmãs não teriam se encarregado de tentar ajudá-la criando uma filha para ela.

— Babá — disse a Fada Azul gentilmente —, sabe que eu sempre gostei de Malévola, mas devo dizer que ela tinha uma fada cuidando dela: você.

Babá olhou nos olhos da Fada Azul e viu apenas doçura, nada da malícia que as outras fadas tinham quando falavam de Malévola.

— É, mas eu falhei com ela. Se tivesse ficado ao lado dela e a protegido, procurado-a mais, nada disso teria acontecido. Malévola nunca teria se tornado um monstro insensível se não tivesse dado todas as melhores partes de si mesma para a filha. Ela ainda estaria conosco hoje. Eu falhei com ela. As fadas falharam com ela, e precisamos assumir a responsabilidade certificando-nos de que isso nunca mais aconteça com outras jovens necessitadas.

Babá avaliou a reação das fadas e viu que apenas a Fada Azul parecia concordar com o que ela estava dizendo. Continuou, esperando de todo o coração que ela fosse capaz de convencê-las de seu modo de pensar.

— Sinto que precisamos repensar a ideia de quem as fadas ajudam. Malévola tinha um argumento muito bom em relação a isso quando foi fazer seus exames para fada. Ela achava que era Grimhilde quem precisava de ajuda no cenário de Branca de Neve, e eu tenho que concordar. Malévola entreouviu o homem no espelho atormentando Grimhilde, decidiu ajudá-la e foi penalizada por não ajudar Branca de Neve, quando ficara claro que Grimhilde estava em perigo!

— Grimhilde em perigo? Está falando sério? Ela tentou matar a própria filha! — disparou a Fada Madrinha.

As três fadas boas concordaram com murmúrios de aprovação. Todas falaram ao mesmo tempo, suas vozes se tornando estridentes em defesa da Fada Madrinha.

— Se Grimhilde tivesse uma fada para ajudá-la em sua dor, sem mencionar alguém para protegê-la de seu pai violento, ela nunca teria se voltado para as irmãs esquisitas, enlouquecido e tentado matar a própria filha. Malévola percebeu isso! Malévola viu que, ao tentar ajudar Grimhilde, ela também estava ajudando a princesa Branca de Neve!

— Malévola ficou do lado de Grimhilde porque ambas são más! — sibilou a Fada Madrinha.

— Oh! Eu deveria ter adivinhado que essa ainda seria a sua postura, irmã! Talvez, se pudesse ter superado seu preconceito de fada, teria visto a garota especial e talentosa que Malévola era antes de falharmos com ela. Antes de você despachá-la para seu caminho de ruína.

A Fada Madrinha levantou-se da cadeira e bateu os punhos na mesa, sacudindo o bule de chá e fazendo as xícaras tremerem.

— Agora ouça, irmã! Nós não vamos trazer à tona tudo isso de novo! Eu não vou mais ser acusada da morte de Malévola! E o que isso tem a ver com as irmãs esquisitas? Pode me dizer?

— Tem tudo a ver com elas. É sobre todas as mulheres como elas que não nascem lindas princesas e, por isso, vivem sem a orientação e apoio das fadas! Como as irmãs esquisitas teriam se saído se tivessem uma fada adequada para cuidar delas? Olhe só para Gothel e Úrsula. Se elas tivessem fadas cuidando delas, suas vidas poderiam ter sido muito diferentes!

— Elas são bruxas!

— Circe é uma bruxa! E ainda assim você quer fazer dela uma fada dos desejos honorária! Você a escolheu por causa de sua beleza ou porque ela é uma bruxa talentosa e solidária?

— Eu a escolhi por causa do bem que ela fez para Tulipa e Bela. Eu a escolhi porque ela é uma jovem bruxa talentosa, e queria afastá-la de suas mães, se quer saber toda a verdade! Claro que não faz mal que ela seja linda. Ela não vai assustar suas protegidas como Malévola fez durante seus exames.

Isso fez as três fadas boas darem risadinhas, fazendo com que Babá lhes lançasse um olhar irado.

— Não é culpa de Malévola que você não pudesse enxergar além de seus chifres e sua pele verde!

— Não, minha irmã, eu não pude enxergar além do coração obscuro dela! Assim como não consegui enxergar além dos corações obscuros de Gothel e Grimhilde!

Babá balançou a cabeça.

— Se essas fadas miseráveis não tivessem roubado os pássaros de Malévola, e se você não tivesse dito aquelas coisas terríveis no dia dos exames para fada, ela nunca teria explodido em uma fúria de fogo e destruição! Eu nunca deveria ter dado a você a filha dela, nunca deveria ter deixado que vocês, tolas, a entregassem ao rei Estevão e sua rainha! Oh, eu sei que eles ansiavam por uma criança, e eu sei que eles atendiam aos critérios das fadas para serem pais bons e amorosos... e por que não transformar a garota em uma princesa? Mas, ao fazê-lo, traí minha filha adotiva e parti seu coração, e é por isso que ela se voltou para Lucinda, Ruby e Martha em busca de ajuda!

— Você não se lembrou do porquê as fadas não aceitam bruxas como protegidas, querida irmã. Olhe para suas primeiras protegidas como exemplo.

— Como ousa tocar nesse assunto!

— Toda bruxa que você já tentou ajudar partiu seu coração e causou mais destruição e morte. Por que acha que tentamos trazer Circe para nossas fileiras, se não apenas para salvá-la de você e de suas mães?

Babá se sentiu como se sua irmã tivesse lhe dado uma bofetada no rosto.

— As irmãs esquisitas eram bebês naquela época! Como eu iria saber quem elas seriam quando crescessem? Era protocolo entregá-las a uma família real, e os Neve as aceitaram alegremente. Elas foram o meu primeiro caso!

— Você sabia quem elas seriam quando crescessem. Você mesma me disse que viu algo ruim dentro delas. No entanto, você as deu a essa família para causar destruição e ruína por gerações! Insistiu em dar uma chance a elas, insistiu que elas poderiam fazer grandes coisas e seguir outro caminho. Recusou-se a ver a verdade. Mas você vê tudo, não é minha querida irmã? Vê o que uma garota vai se tornar antes mesmo de ela própria saber. Viu isso em Malévola e viu em Lucinda, Ruby e Martha.

— E vejo isso em Circe e Tulipa também! O meu amor e carinho por elas não me redimiu de alguma forma? Não vê que isso tudo está conectado? Paguei pelos meus erros. E estou fazendo o melhor que posso para consertar as coisas. É por isso que é tão importante que mudemos a maneira como as fadas direcionam sua magia, para evitar o desastre que estamos enfrentando com as irmãs esquisitas.

— O que isso tem a ver com elas?

— Tudo! — uma nova e imponente voz irrompeu na conversa, reverberando por todo o pátio e fazendo os galhos das cerejeiras sacudirem.

Todas as fadas ergueram as vistas e viram Oberon parado ali, alto como uma torre, majestoso e imponente, mas com olhos bondosos e paternais.

— Babá está certa — ele disse. — As fadas precisam ampliar seu alcance! Mas por mais que eu concorde com Babá que tudo isso está emaranhado com a história das irmãs esquisitas, no momento, precisamos nos concentrar nessa ameaça iminente. Precisamos proteger as Terras das Fadas! As irmãs levantaram Malévola dos mortos e ela está a caminho para destruir as Terras das Fadas. E precisamos nos proteger e proteger as bruxas na Floresta dos Mortos.

— Na Floresta dos Mortos? Nunca! Deixe as bruxas dos mortos se defenderem! Malévola está a caminho para nos destruir e precisamos das nossas forças aqui! — gritou a Fada Madrinha, fazendo Babá abrir a boca de espanto.

— Circe e Branca de Neve estão na Floresta dos Mortos, irmã! Como pode dizer isso?

— Se Circe escolheu a Floresta dos Mortos em vez das Terras das Fadas, então, talvez ela não seja digna de nossa proteção. Talvez ela esteja fadada a partir o seu coração, como todas as suas bruxas fizeram antes dela. Quanto à Branca de Neve, alguém deve conjurá-la de volta ao seu próprio reino imediatamente! Nós não podemos deixar uma princesa ser prejudicada de jeito nenhum!

— Vejo que o tempo que você passou com sua irmã em Morningstar não fez nada para mudar a sua mentalidade bitolada de fada! — disse Oberon, olhando para a Fada Madrinha com decepção e tristeza.

Mas ela o encarou de cabeça erguida, colocando as mãos na cintura de forma desafiadora.

— Você sempre fica do lado de Babá, Oberon! Sempre. Mesmo agora, quando ela admite os erros, você ainda fica do lado dela! Depois de tudo que fiz pelas Terras das Fadas, é assim que me trata?

— Essa é a diferença entre você e a sua irmã. Ela admite os erros e aprendeu com eles. Ela quer melhorar as coisas. Você, no entanto, não, e isso parte meu coração. Estive tão longe das Terras das Fadas que senti que não era meu direito vir e tomar parte no julgamento, mas vejo que minha orientação é muito necessária. É hora de todas vocês deixarem de lado suas diferenças e lutarem juntas para defender todas as nossas terras!

A Fada Madrinha ficou furiosa.

— Estou pensando em renunciar e deixar que você e Babá governem as Terras das Fadas! Estou farta de ser criticada por defender nossas tradições que *você* mesmo estabeleceu para nós tanto tempo atrás!

Oberon deu à Fada Madrinha um olhar triste.

— Acho que essa pode ser a sugestão mais sábia que você já deu.

CAPÍTULO XV

A Lista das Irmãs Esquisitas

Era crepúsculo na Floresta dos Mortos. O céu estava roxo e as estrelas brilhavam na névoa que sempre pairava baixa e pesada naquela parte dos muitos reinos. Branca de Neve estava sozinha no quarto da manhã, cercada por pilhas de livros. Ela estava lendo o diário de Lucinda à luz de velas, esperando descobrir mais sobre as irmãs esquisitas, alguma coisa que Circe talvez pudesse usar para derrotar suas mães.

Circe, Hazel e Primrose tinham ido à biblioteca para procurar alguns dos antigos livros de feitiços de Manea, na esperança de descobrir um encantamento que pudesse ajudá-las, enquanto Branca de Neve vasculhava os livros que trouxera com ela da casa das mães de Circe. Estava começando a escurecer, e Branca de Neve olhou pelas janelas, esperando que Circe e suas novas amigas retornassem em breve. Ela abriu um diário antigo e se deparou com páginas de anotações enigmáticas que logo percebeu pertencerem às próprias irmãs esquisitas.

Malévola

◦ Fada-bruxa dragão. O bichinho de estimação da Babá. Ficar de olho nela.

◦ Visitar a garota em seu aniversário. Comandar as estrelas! Partir o coração de Babá e pegar a garota para nós.

◦ Nós a amamos! Mas não haverá bolo. As estrelas estão sob o nosso comando. Assistir Babá ficar de coração partido.

◦ Ela não quis fazer isso! Ela não quis fazer isso! Nós não previmos. Nossa querida fada-bruxa dragão matou nossa Circe. Ela não sabe! Nunca contem para ela! A culpa é nossa por pressionar as estrelas. Nós não previmos! Nós a amamos ainda mais agora.

◦ Traremos a nossa querida garota para nós! Sim. Nós vamos cuidar dela! Isso é nossa culpa.

— Ela comanda a natureza, mas apenas na escuridão. Ensiná-la a obscurecer o sol! Ela governará tudo.

— Nós compartilharemos nossos segredos. Juntaremos Circe e a filha de Malévola.

— Não lhe resta mais nada. Ela está perdendo a cabeça. Ela deu demais. Nós somos três e ela é uma. Nós cometemos um erro. Sua filha pegou seu coração. Ela é poderosa. Seu poder está crescendo enquanto seu coração se desvanece. Nós a amamos mais por isso.

— Malévola diz que estamos perdendo a cabeça. Ela diz que nós mudamos. Diz que é degenerativo. Ela está mentindo!

Úrsula

— ~~Nossa maior amiga. Uma grande e terrível bruxa com enorme poder. Nós a amamos.~~ Bruxa traidora! Nós a odiamos! **Ela deve morrer!**

Babá

— Fada disfarçada de bruxa.

Tulipa

— Ela não é a tola que achávamos que era.

Oberon

— Tudo está bem enquanto ele dormir.

Gigantes de pedra

— Usá-los contra os Senhores das Árvores.

Popinjay

— Garoto tolo!

Grimhilde no espelho

— Usá-la para torturar Branca de Neve.

As fadas

— Nós vamos destruí-las!.

Primrose e Hazel

— Garotas humanas sujas! Elas não são irmãs de verdade de Gothel!

Jacob

— Criatura das bruxas, ficar de olho nele!

Tiddlebottom

— Ela não é boba!

Feitiços da xícara de chá

As xícaras devem ser tocadas pelos lábios da vítima, se não a magia não será tão eficaz. Beba da xícara e aprenda seus segredos. Quebre a xícara e ela será quebrada irremediavelmente. Encha a xícara com água e com o olho de um ovo e você a verá. Encha a xícara com o que mais a assusta para dar-lhe pesadelos. Enterre a xícara na terra do cemitério para sufocá-la. Encha a xícara com o sangue dela misturado ao seu para controlá-la. Atire a xícara no fogo e mande-a para o Hades. Jogue-a no mar para entregar sua alma à Bruxa do Mar.

Objetos de desejo

 Poder

 Insanidade

 Desilusão

Quebrar a união das irmãs

 Inveja

 Loucura

 Insegurança

Homem da Sombra

 Ele tem vontade própria.

Branca de Neve

- Garota terrível. Filha do nosso primo, o Rei Neve.

- Ela vai tirar de nós o que mais prezamos.

- Devemos matá-la!

- Visitar a rainha! Levar a pirralha para a floresta.

- Enlouquecer Grimhilde, levá-la a matar Branca de Neve.

- Protegida por Grimhilde.

- Atormentar seus sonhos. Destruir sua ligação com Grimhilde. Usar Circe.

Branca de Neve fechou o livro e o colocou ao seu lado. Ela estava começando a ficar nervosa. Onde estava Circe? Inquieta, ela abriu o livro novamente e buscou a página que queria mostrar à sua prima. Não conseguia parar de pensar nisso. O que Lucinda quis dizer sobre "usar Circe" para destruir seu vínculo com a mãe? Tudo aquilo fazia parte do plano das irmãs esquisitas, então? Seriam todos apenas marionetes em alguma peça que as irmãs tinham escrito, como a mãe dela dissera certa vez?

A sensação de nervosismo retornou a Branca de Neve e ela começou a sentir como se as paredes estivessem se fechando sobre ela. Era a mesma sensação que tivera quando estava sozinha na casa das irmãs esquisitas. Levantou-se e estava prestes a sair da sala quando as velas começaram a bruxulear e esmaecer. A sala estava fria e opressiva, fazendo a princesa estremecer.

Eu lhe disse para nunca confiar em uma bruxa, minha filha.

Branca de Neve sobressaltou-se, olhando ao redor da sala, mas não conseguiu descobrir de onde vinha a voz de sua mãe. A luz da vela dançou ao som, projetando sombras nas paredes.

Bem aqui, meu passarinho. Bem aqui.

Branca de Neve seguiu o som da voz de sua mãe; era assustador ouvi-lo naquele lugar estranho e morto. Um lugar para bruxas. Então, ela a encontrou. O rosto de sua mãe estava sendo refletido em um espelho oval.

O espelho estava pendurado na parede oposta, entre os retratos das rainhas falecidas que haviam governado a Floresta dos Mortos. Era sinistro ver a mãe entre elas. Quando Branca de Neve se aproximou do altar, percebeu que o espelho estava rachado, distorcendo o rosto severo da mãe.

Olha o que aquela bruxa fez comigo!

– Quem fez isto a você? – Branca de Neve ficou horrorizada ao ver sua mãe tão alterada.

Circe! Ela quebrou a minha xícara. Eu mal estou me aguentando, meu passarinho. Não confie nela, Branca de Neve! Circe está sendo usada por suas mães para destruí-la. Sempre foi você que elas odiaram. Sempre foi você quem queriam ver morta. Elas me usaram para chegar até você e, quando não funcionou, usaram a própria filha.

– Eu não acredito em você!

Eu estou sendo forçada para fora do meu espelho, Branca de Neve! Nunca mais a verei! Por favor, saia daqui enquanto pode! Elas estão chegando.

– Circe não sabia que quebrar sua xícara a machucaria! Ela estava com raiva de suas mães quando fez aquilo! Ela não sabia que isso iria acontecer!

Oh, ela não sabia? Ela tem tentado manter você longe de mim desde que você foi para Morningstar! Ela diz a si mesma que está protegendo você de mim quando deveria estar se protegendo de suas próprias mães! Bruxas torpes, intrometidas, conspirando e arruinando vidas! Seria bom você deixar este lugar antes que elas desabem o terror sobre a cabeça de todos vocês! Elas te odeiam, meu passarinho, te odeiam porque previram como Circe viria a te amar.

— Nada disso faz sentido, mãe. Você diz que elas me queriam morta por causa da minha amizade com Circe, mas está me dizendo que elas nos uniram? É tudo loucura!

As irmãs esquisitas são loucas. Estão presas em promessas das quais não podem escapar. Agora vá. Vá antes que elas cheguem aqui. Eu não posso mantê-las afastadas por muito mais tempo. Elas estão chegando, meu passarinho. Elas estão chegando...

Antes que Branca de Neve pudesse responder, o espelho começou a se despedaçar; os gritos de sua mãe eram repletos de terror e dor, misturando-se ao som de vidro quebrado.

O vidro explodiu por todo o quarto, cortando o braço que Branca de Neve usou para proteger o rosto. Quando ela ergueu a cabeça da dobra do braço, viu o corpo da mãe no chão. Ela estava coberta por cortes que pareciam rachaduras no espelho.

— Mãe! Não! — gritou a princesa, em pânico pelos horríveis ferimentos da mãe.

Circe, Primrose e Hazel correram para o aposento. Branca de Neve viu as expressões de horror no rosto delas quando avistaram Grimhilde.

— Circe! Por favor, ajude minha mãe! Rápido!

A jovem bruxa parecia estar congelada de medo e repulsa.

— Circe! Por favor!

Mas Circe não estava olhando para Branca de Neve nem para sua mãe. Estava olhando além delas, para a moldura vazia que segurava o espelho quebrado.

Algo rastejava para fora da moldura, contorcendo o corpo como um inseto repugnante, horrendo e monstruoso. Elas ouviram o estalar dos ossos e os gemidos de mais criaturas saindo do espelho. Branca de Neve e as bruxas observaram com horror enquanto tais coisas desdobravam seus corpos, endireitando-se e assumindo suas estaturas naturais.

Eram as irmãs esquisitas, horripilantes, vis e perversas como sempre.

– Oh, puxa vida. Parece que nos deparamos com um ninho de bruxas. O que devemos fazer?

As irmãs riram quando Lucinda agitou a mão, enviando Hazel, Primrose e Circe para fora do quarto e batendo a porta atrás delas.

– Desculpem-nos, queridas. Queremos ficar a sós com a Branca de Neve e a mãe dela.

CAPÍTULO XVI

A FILHA DA BRUXA

As irmãs esquisitas estavam paradas ali, rindo de Branca de Neve. Elas pareciam estranhas criaturas saídas de um pesadelo. Eram tão medonhas e monstruosas quanto se lembrava delas.

Branca de Neve não podia evitar sentir que estava sonhando. Aquelas bruxas tinham atormentado seu sono desde que ela era apenas uma criancinha, e agora ela estava parada diante delas enquanto sua mãe morria no chão. Ela temia o dia em que poderia ter que enfrentar as irmãs esquisitas novamente, e sempre imaginou o que faria se o fizesse. Mas encontrou forças para falar em algum lugar dentro dela, em um lugar que não sabia que existia. Um lugar de resistência e coragem.

— Calem a boca, suas harpias! O que vocês fizeram com a minha mãe? — Branca de Neve gritou.

As irmãs esquisitas zombaram da princesa.

— Oh, tão valente, tão forte! Agradeça a Circe por isso, querida! Sem ela, você ainda estaria sob o domínio de sua mãe e se escondendo atrás das saias de Verona! — Lucinda disse, rindo de Branca de Neve.

— Oh, você é uma filha de bruxa, verdade. Olha só o jeito como nos fulmina com os olhos. Achei que você teria mais medo. Pensei que iria se encolher e chorar como fazia quando era garotinha — disse Martha antes de Lucinda assumir o controle.

— Tem certeza de que quer que salvemos sua mãe, querida? Realmente quer voltar para o seu reino com sua mãe sempre a observando por trás do espelho? Presa para sempre na companhia da mulher que tentou te matar?

— Vocês a forçaram a fazer isso! Eu li o livro dos contos de fadas! Li os diários de vocês! Eu sei a verdade!

Lucinda aproximou-se mais e seus olhos se fixaram em Branca de Neve.

— Tão corajosa! Você me surpreende — disse Lucinda.

Então, olhando para o corpo ensanguentado e todo cortado de Grimhilde, ela gargalhou.

— Você pode me ouvir, Grimhilde? Pode sentir como sua filha está assustada? Você não saberia isso pela expressão em seu rosto. Deveria estar orgulhosa. Ela aprendeu a odiar, afinal.

— Quando foi a última vez que você viu seu próprio reflexo no espelho e não sua mãe, Branca de Neve? Ela não quer que você saiba como é linda! Ela nunca quis! Ela é a mesma bruxa rancorosa e magoada que sempre foi! Sabia que ela nos implorou para matarmos você? Ela nos implorou! Tão desesperada para se livrar de você para que seu pai a chamasse de a mais bela do reino. Ela desejou a sua morte! – disse Lucinda, sentindo prazer em ferir Branca de Neve.

– Cale a boca! Vocês fizeram isso com ela! Minha mãe me ama! Ela me ama agora e sempre me amou.

– Então ela a ama, hein? Ama tanto você que prendeu o pássaro de Malévola, Opala, usando a pobre criatura contra sua vontade, para que pudéssemos atrair Malévola para o lado de cá do véu! E então sua mãe encheu-se de admiração enquanto nos observava usando magia negra e degradada para trazer a forma de dragão de Malévola de volta à vida! Ama você tanto que ajudou Pflanze a colaborar na nossa fuga da Terra dos Sonhos para que pudéssemos levantar Malévola dos mortos. Tudo em troca de *você*! Ela vem tramando e planejando conosco sem se preocupar com quem vive ou morre no processo! Então, você não vê, minha querida? Sua mãe é e sempre foi uma bruxa. Ela é exatamente como nós.

– Mentira!

– Sua mãe veio até nós na Terra dos Sonhos! Ela nos implorou para ajudá-la! Concordou em fazer o que fosse preciso desde que tivesse você de volta em casa com ela novamente. Então, quem está mentindo, Branca de Neve? Acho que talvez seja você que está mentindo para si mesma!

Branca de Neve olhou para a mãe. Sua respiração era superficial e o sangue estava começando a escorrer dos longos cortes que cobriam seu rosto e corpo.

As irmãs esquisitas

— Ela está morrendo, por favor, me ajudem!

— Ora, vejam só! Branca de Neve nos pedindo ajuda? Pedindo às sórdidas harpias que viraram sua mãe contra você para salvá-la! O que o Rei Encantado acharia disso?

Mas Branca de Neve não estava escutando; estava debruçada sobre a mãe, tentando ouvir o que ela estava dizendo. Foi um pequeno sussurro, quase inaudível, como um chiado.

— Chegue mais perto, minha querida. Eu amo você – disse Grimhilde, enquanto suas feridas começavam a se abrir.

Ela estava se despedaçando como um espelho quebrado, com o sangue acumulando-se por todo o chão ao redor dela, fazendo Branca de Neve gritar. Sua mãe estava morta. Espatifada em um milhão de pedaços. Branca de Neve a perdera para sempre. E, para sua surpresa, sob o horror, a dor e a tristeza, ela sentiu alívio.

As irmãs esquisitas riram ao ver a princesa olhando com horror para a mãe.

— Oh! Nós lemos o seu coração, Branca de Neve! Não é tão puro, afinal de contas! Vemos que a maçã não caiu longe da árvore! O que vimos foi você desejando a morte de sua mãe! – as irmãs falaram numa sincronia doentia.

— Não é verdade! – gritou Branca de Neve. – Não é verdade!

— Por falar em maçãs – disse Ruby –, você encontrou o presente que sua mãe deixou na nossa porta?

Branca de Neve olhou para Ruby, enojada com a alegria que estava sentindo com esses horrores.

— O que está dizendo?

As irmãs esquisitas riram novamente.

— Quem mais lhe traria uma bela maçã vermelha, além de sua mãe?

Branca de Neve se levantou, suas mãos e a barra de seu vestido cobertas com o sangue da mãe.

— Mentira!

A risada das irmãs esquisitas encheu a sala, e alguma coisa nisso fez Branca de Neve sentir como se aquelas mulheres desprezíveis estivessem dizendo a verdade. Ela odiava admitir, mas, no fundo do coração, sabia que sua mãe havia deixado a maçã. Ela se sentiu da mesma maneira naquele dia na casa delas, como se sentira logo antes de sua mãe aparecer naquela noite. Pânico. Necessidade de fugir. Mas esse sentimento se fora. Morrera junto com sua mãe. Com isso, ela encontrou um grande senso de poder dentro de si mesma. Já não tinha medo.

— Não seja tola, Branca de Neve. Filha de bruxa ou não, você não tem poder sobre nós. Nenhum antídoto. O primeiro beijo do amor verdadeiro não ajudará você a derrotar estas bruxas aqui! — Martha disse, gargalhando, quando Lucinda agarrou Branca de Neve pela garganta e apertou com força.

Circe finalmente conseguiu atravessar a porta.

Seu rosto se contorceu horrorizado ao ver o que suas mães estavam fazendo com sua amada prima. Hazel e Primrose a seguiram, preparando-se para a batalha.

— Branca de Neve! O medalhão! Beba! — gritou Circe.

Ela e Hazel lançaram maldições sobre Lucinda, mas só conseguiram fazer Lucinda rir mais... quer dizer, até ouvir ruídos de asfixia vindos de Ruby e Martha. Elas estavam sendo estranguladas por uma força invisível. Lucinda soltou Branca de Neve imediatamente, e Ruby e Martha também caíram no chão, ofegantes, sem ar. Uma expressão de total repulsa apareceu no rosto de Lucinda.

— Que bruxaria é essa? — ela sussurrou, olhando para Circe. — Você fez isso?

CAPÍTULO XVII

O Retorno das Rainhas

Circe podia sentir a raiva de suas mães. Isso provocou um arrepio por todo seu corpo, fazendo-a tremer. As irmãs esquisitas gritavam tão alto que ela pensou que trariam a mansão abaixo em torno delas.

— Como ousa compartilhar seu sangue, *nosso* sangue, com Branca de Neve! — gritou Lucinda, com os olhos flamejando de raiva. — Não pode protegê-la de nós para sempre! — Então, ela se virou para Branca de Neve. — E você não pode tê-la! Circe é nossa! Como ela deveria ser! Como foi projetada para ser! Juntas, vamos trazer a escuridão para este mundo e vamos cantar e dançar ao som dos gritos da terra dos vivos!

— Filha, pare com isso imediatamente!

Era Jacob. Ele ficou parado ali, sereno e controlado. Estoico e paternal. Lucinda parou no mesmo instante. Seu rosto desmoronou e assumiu a expressão de uma garotinha sendo repreendida.

— Pai? — Lucinda sussurrou, sua voz tão baixa que nem parecia natural.

Circe nunca tinha visto a mãe tão passiva. Uma calma sobreveio a Lucinda, como se ver o pai de alguma forma a tirasse de sua loucura, pelo menos por um momento. Martha e Ruby pareciam paralisadas, as cabeças inclinadas para o lado, os olhos muito abertos e as bocas escancaradas. Alguma coisa no homem acalmou suas mães, trazendo-as de volta às margens da sanidade e fazendo Circe lembrar por que ela as amava.

— Acalme-se, minha preciosa garota. Toda essa fúria e raiva... Você é muito parecida com sua mãe e avó. Vocês devem aprender a acalmar suas almas — Jacob murmurou, tentando acalmar suas filhas.

— Não fale da minha mãe e avó comigo! Elas nos expulsaram, enviando-nos para viver com as fadas e nas mãos de Aquela das Lendas! Você percebe que foi assim que ela fez o nome dela, não é? Não foi cunhado devido à sua grandeza! — disse Lucinda, sua loucura retornando.

— Nós não quisemos mandar vocês embora! Não tivemos escolha, minha garota! Eu juro a você que foi a última coisa que sua mãe e eu queríamos fazer!

Circe podia ver suas mães entrando e saindo da sanidade. Ela viu a loucura atravessando seus rostos, possuindo-as como um demônio perverso e soltando-as novamente quando ouviam a voz de Jacob. Era a coisa mais estranha que ela já havia visto, suas mães se transformando assim diante de seus olhos, retornando ao seu eu anterior. Ela queria que Branca de Neve saísse da sala, se afastasse de suas mães.

Hazel, leve Branca de Neve para a casa das minhas mães.

Hazel assentiu, ouvindo os pensamentos de Circe. Enquanto as irmãs esquisitas ainda estavam sendo embaladas por Jacob, ela pegou a princesa pela mão e a levou para fora do quarto.

— Mães, escutem Jacob, por favor! — exclamou Circe. — Ele ama vocês. Eu sei que ama. Basta ouvi-lo — ela disse, enquanto Jacob lentamente se dirigia até suas filhas alquebradas, aproximando-se delas timidamente, como se fossem feras selvagens que poderiam atacar a qualquer momento.

— Lucinda, minha garota. Por favor, posso segurar sua mão? Senti-me tão envergonhado depois de ter evitado você e suas irmãs tantos anos atrás, quando chegaram à Floresta dos Mortos. Mas eu estava com medo.

— Eu não sabia quem você era naquele dia — disse Lucinda. Seus olhos se encheram de lágrimas. — Nós só soubemos quem você era quando lemos os diários de Manea, muitos anos depois.

— Minhas filhas, por favor, sentem-se comigo. Há tanta coisa que tenho que lhes contar. Venham, vamos nos sentar e conversar em algum lugar onde nos sintamos confortáveis.

Lucinda, Ruby e Martha deixaram Jacob levá-las para a grande sala de jantar. Circe observou, atônita, como elas ficavam calmas na presença dele. Que boa vontade tinham em fazer o que ele pedia.

— Venham comigo, minhas filhinhas — ele disse, enquanto as ajudava a sentar-se, puxando uma cadeira para cada uma delas, tratando-as como filhas queridas com toques suaves e um olhar amoroso.

Circe estava parada na entrada junto com Primrose, maravilhada com a cena, esperando que algo desse errado, preocupada que as irmãs esquisitas voltassem a cair no delírio, preocupada que Hazel não conseguisse levar Branca de Neve para a segurança da casa de suas mães antes que elas perdessem a cabeça de novo.

– Minhas garotas, sentem-se. Eu preciso que me escutem. Todas vocês – ele disse, olhando para Circe e Primrose também.

Circe e Primrose sentaram-se diante das irmãs esquisitas, olhando a porta, esperando que Hazel voltasse. Jacob estava sentado à cabeceira da mesa, e as harpias de pedra que dominavam a sala assomavam sobre eles. Jacob sorria para Lucinda, perdido na beleza de seu rosto, perdido nas lembranças de sua mãe.

– Você é muito parecida com elas, minha filha, muito parecida com sua mãe e a mãe dela – ele disse, olhando para todas as bruxas. – E, quando fui trazido de volta à vida como servo das rainhas da Floresta dos Mortos, e você foi transformada em três, eu te amei ainda mais. Mas as ancestrais estavam zangadas com sua avó por seus planos de estender seu alcance para além da Floresta dos Mortos e se convenceram de que você faria o mesmo. Elas previram que você destruiria a Floresta dos Mortos se lhe fosse permitido permanecer em seu bosque. Vejo agora como elas estavam enganadas. – Jacob pareceu deslizar para um lugar que só ele podia ver, um lugar aonde elas não poderiam segui-lo. Talvez estivesse se lembrando daqueles dias, ou talvez ele estivesse apenas feliz por estar na companhia de sua ninhada de bruxas. – Sua avó Nestis tentou uma vez estender seu alcance para além da Floresta dos Mortos assim como você está tentando fazer. Ela queria tornar o mundo sombrio, libertar suas criaturas nos muitos reinos, porém as ancestrais a impediram e forçaram sua mãe a entregá-las às fadas. Elas a convenceram de que era a única escolha.

— Mas por que você não lutou para nos manter aqui? Por que mamãe não lutou? — Lucinda perguntou. Ela parecia uma criança perdida e solitária, não a bruxa terrível em que se transformara.

— Nós lutamos, minha garota, nós lutamos! Mas sua mãe não era forte o bastante. Ainda não. Ela ainda não tinha todos os poderes e, quando se tornou forte, ela acreditou nas ancestrais. Ela se viu com tanto medo quanto as ancestrais. Mas vejo agora que deveríamos ter mantido vocês aqui, mantido vocês por perto. Nunca deveríamos tê-las soltado nos muitos reinos, causando estragos e destruição! Se dependesse de sua mãe e de mim, vocês teriam governado este lugar depois que sua mãe morresse, não Gothel, não aquela pobre criança miserável, nem suas irmãs aqui, por mais que eu as ame.

— Então, por que não nos contou tudo isso quando o visitamos aqui? — perguntou Ruby, não parecendo tão convencida quanto sua irmã Lucinda de que seu pai estava dizendo a verdade.

— Porque, minha garota, eu acreditava nas ancestrais. E sua mãe também acreditou nelas. Pensei que vocês seriam a ruína deste lugar. Eu estava destinado a proteger Gothel da mesma forma que deveria proteger todas as rainhas e futuras rainhas dos mortos e guardar os segredos de minhas senhoras. – Jacob juntou as mãos das irmãs esquisitas e as segurou nas dele. – Oh, minhas pobres meninas, vocês têm andado perambulando perdidas pelos muitos reinos, sempre buscando o seu verdadeiro lar, agindo conforme sua natureza, a natureza que herdaram de sua mãe e da mãe dela.

Circe estava sentada em silêncio, ouvindo Jacob. Ele estava certo. Fazia sentido que suas mães quisessem criar uma filha da mesma forma que sua própria mãe fizera. Mas elas haviam seguido na direção contrária. Haviam dado muito de si. Haviam perdido muito.

– Se vocês tivessem sido criadas aqui, viveriam dentro dos limites da Floresta dos Mortos. Aqui teriam um propósito, um lugar para governar. As ancestrais nunca deveriam tê-las jogado no mundo desavisado, onde vocês são apenas caos e destruição. Aqui vocês teriam governado depois de sua mãe.

– Você disse que nossa avó nos transformou em três. O que quis dizer? – Martha perguntou, olhando para Jacob com os olhos arregalados. Ela parecia estar examinando cada detalhe dele, como se a resposta pudesse ser encontrada em seu rosto.

– O que ele quis dizer com isso, Lucinda? – Ruby entrou na conversa.

Elas se tornaram maníacas, e Lucinda as viu entrando em espiral na mesma insanidade que parecia capturá-las com maior frequência do que nunca.

– O que ele quis dizer? – elas gritaram, levantando-se e rasgando seus vestidos pretos e puxando as penas em seus cabelos, jogando-as no chão e arranhando o próprio rosto.

— Irmãs, parem com isso agora mesmo! Vão estragar os vestidos que acabei de conjurar para nós antes de deixarmos o lugar intermediário. Vocês não querem fazer isso, não é? Não querem estragar seus lindos vestidos novos — Lucinda tentou acalmar suas irmãs da melhor maneira que pôde.

Ruby e Martha pararam de se agitar, mas ainda queriam saber do que Jacob havia falado.

— Lucinda, por favor, conte-nos o que ele quis dizer. Nós não entendemos.

— Minhas queridas irmãs. Minhas Ruby e Martha. Eu nasci do amor de nossa mãe Manea e de Jacob, e Nestis, nossa avó, me dividiu em três, criando vocês. Ela criou vocês da mesma forma que criamos Circe e ajudamos Malévola a criar Aurora, entendem?

— Mas não foi exatamente o mesmo feitiço, não é, Lucinda? — disse Hazel.

Ela estivera ouvindo atrás da porta, antes de entrar. Lucinda virou a cabeça para olhar para Hazel.

— Outra humana com sangue de bruxa! Que blasfêmia! — vociferou Lucinda. — Pelo menos, Gothel foi criada por magia! Nós éramos suas irmãs de verdade! Irmãs em magia! Você e sua irmã Primrose foram levadas por Jacob da aldeia quando eram bebês, sabia disso? Tiradas de seus pais verdadeiros, desagradáveis pais humanos, e lhes foi dado o sangue de Manea! Para nos substituir! Eu deveria te matar aí mesmo onde você está!

— Sabe que isso é impossível, Lucinda. Nós compartilhamos o mesmo sangue. O sangue da nossa mãe!

Primrose se levantou, cerrando os punhos e preparando-se para lançar feitiços, pronta para defender a irmã.

— Parem com isso, garotas! Parem imediatamente! — A voz de Jacob retumbou, mas as bruxas não o ouviram.

Tudo caíra de novo no delírio. As bruxas estavam choramingando e gritando entre si.

— Vocês sabiam quem eram quando vieram até nós há muitos anos? Foi por isso que tiraram de nós nossa irmã Gothel e ajudaram a destruir a Floresta dos Mortos? — perguntou Hazel, não escondendo seu desprezo por Lucinda e suas irmãs.

— Nós a levamos porque ela era nossa verdadeira irmã. Não como você. Ela foi criada com magia do jeito antigo, como foi feito por gerações pelas rainhas da Floresta dos Mortos! Nós a queríamos. Nós queríamos a nossa família de volta! — silvou Lucinda, cerrando os punhos, cravando as unhas em sua própria carne com raiva.

— E então a abandonaram! Vocês a deixaram enlouquecida e murchando, enquanto tentava nos trazer de volta, enrolando-a por anos, fazendo-a acreditar que a ajudariam!

— Nós queríamos ajudá-la! Nós tentamos. Mas tínhamos que encontrar um jeito de trazer Circe de volta! Tínhamos que salvar Malévola.

— Mas se tivessem simplesmente usado os feitiços de nossa mãe, os mesmos feitiços usados por gerações por nossas ancestrais, e não os houvessem adulterado, nada disso teria acontecido. Em vez disso, vocês pegaram o feitiço da nossa mãe e se apoderaram dele! Vocês o distorceram e transformaram em algo destrutivo, como tudo que você toca, Lucinda. Nós amamos vocês quando vieram para a Floresta dos Mortos, você sabe que é verdade! Poderiam ter nos dito quem eram e ficar para morar aqui conosco. Nós poderíamos ter sido felizes juntas. Passamos a amá-las bastante, Lucinda. Ficamos felizes por ter outras bruxas na Floresta dos Mortos. Alguém para nos ensinar magia. Mas vocês usaram Gothel, pegaram nossos feitiços e os distorceram, usando-os em vocês e em sua fada-bruxa dragão, e destruíram tudo no processo!

— Não foi nossa culpa! Foi um erro de cálculo! Nós somos três, Malévola era apenas uma, e foi por isso que ela não aguentou!

— Mas não vê que a mesma coisa vem acontecendo com vocês, só que muito mais devagar? Deram a Circe tudo que era bom dentro de vocês e, como são três, os efeitos degenerativos levaram mais tempo para destruí-las! Não percebe, Lucinda? Você está ficando louca. Minha irmã Gothel viu isso. Assim como Malévola e Úrsula, todas disseram isso em suas missivas. Elas enxergaram isso acontecendo lentamente ao longo dos anos. E certamente Circe enxerga isso agora. As únicas que não enxergam são vocês.

— Não fale com a gente sobre Úrsula! Ela é uma bruxa traidora e mereceu a morte!

— Isso pode ser verdade, mas ela amava vocês bem antes de perder a cabeça, não é mesmo? Vocês não veem que estiveram navegando perigosamente perto das mesmas profundezas da loucura por muitos anos? Por favor, Lucinda. Não faça isso. Não destrua todos que sua filha ama apenas para mantê-la perto. A cada pessoa que fere e a cada vida que destrói, você castiga sua filha. Você castiga Circe.

As irmãs esquisitas sucumbiram à loucura mais uma vez.

— Não! Não é castigo! Ela é nossa luz. Como Aurora era a luz de Malévola. Tê-la perto de nós é ter a nossa luz de volta. Quanto mais longe ela estiver, menos claramente podemos ver. Nós precisamos da nossa luz. Caso contrário, ficamos na escuridão e sozinhas.

— Mães, estou aqui. Ninguém vai me levar para longe de vocês — disse Circe, sentindo que precisava dizer alguma coisa para acalmá-las.

Mas ela não podia encarar uma vida ao lado delas, não como estavam agora. E ela estava mais certa do que nunca sobre o que tinha que fazer.

— Essas bruxas querem você para si mesmas! E o mesmo ocorre com Babá e as fadas! Todo mundo quer tirar você de nós! Babá acha que pode compensar suas ações passadas protegendo você! Protegendo você de nós! Mas não permitiremos! Fizemos uma promessa, uma promessa de ódio que devemos cumprir! Estamos presas à promessa que fizemos na Terra dos Sonhos. Nós a teremos só para nós, Circe! Nós tiraremos de você todos que você ama, para que tenha apenas a nós!

Lucinda estava delirando, seu cabelo desgrenhado e seu rosto distorcido por seu transtorno mental.

As irmãs esquisitas ficaram juntas em pé, levantando os braços. Pequenas bolas de luz prateada apareceram em suas mãos, crepitando e emitindo faíscas por toda a sala enquanto cresciam. Elas espremeram as esferas brilhantes, fazendo com que raios explodissem de seus punhos. Os raios atingiram as paredes e fizeram toda a mansão tremer. Atingiram as partes mais antigas da mansão, dando vida às esculturas de pedra de criaturas noturnas que repousavam lá dentro. As criaturas se libertaram, fazendo a mansão desmoronar. As harpias que dominavam a sala de jantar ganharam vida e atravessaram as grandes janelas panorâmicas, estilhaçando o vidro e caindo no pátio abaixo. Circe, Primrose e Hazel gritaram quando Lucinda convocou as criaturas da Floresta dos Mortos.

– Criaturas da noite, obedeçam-me! Eu sou sua rainha! Procurem meus inimigos nas Terras das Fadas e nos muitos reinos e destruam todos eles em meu nome!

A mansão começou a roncar e a tremer novamente; todos na sala podiam ouvir os sons de pedra quebrando e caindo no chão. Jacob, Primrose, Hazel e Circe correram para as janelas e viram gigantescos dragões de pedra sobrevoando a Floresta dos Mortos. Eles viram a estátua da Górgona ganhar vida e atravessar o pátio em direção a uma colossal espiral carmesim de luz bem no limite da Floresta dos Mortos. Corvos e gralhas de pedra circulavam acima da Górgona, enquanto mais harpias de pedra chocavam-se contra as janelas, atravessando-as, juntando-se às outras criaturas aladas que estavam saindo da Floresta dos Mortos.

Circe fechou os olhos e suspirou. Ela sabia o que tinha que fazer. Sabia disso desde que começara sua jornada, e só agora teria coragem de fazê-lo.

CAPÍTULO XVIII

GUERRA NAS TERRAS DAS FADAS

Oberon e seus Senhores das Árvores estavam reunidos nos limites das Terras das Fadas. Estavam prontos e esperando para lutar contra Malévola, caso ela voltasse. O coração de Oberon se encheu de medo ao pensar em encará-la novamente e, ao mesmo tempo, se encheu de alegria ao ver suas fadas reunidas à distância, em alerta contra Malévola.

Ele havia perdido muitos amigos e soldados em sua última batalha contra Malévola. Seus amigos perdidos retornariam, é claro, mas levariam muitos anos para fazê-lo, até que tivessem tempo suficiente para crescer. Tulipa havia cuidado do replantio de seus Senhores das Árvores caídos após a batalha em Morningstar. Ela colocou as raízes de volta no solo e cuidou delas com carinho. Mas agora ela recebera uma tarefa ainda mais importante, uma que enchia o coração de Oberon de preocupação.

Ele sentiu que deveria ter previsto que aconteceria uma grande guerra entre as bruxas e as fadas. Mas esperava que

As IRMÃS ESQUISITAS

fossem poupados. Enquanto ele e seu exército montavam guarda, esperando o confronto começar, fez um pedido silencioso a todos os deuses da natureza para que ajudassem na batalha. Ele sabia que as irmãs esquisitas não parariam depois de destruir as Terras das Fadas; elas queriam domínio total dos muitos reinos, agora que haviam tomado seu lugar como Rainhas dos Mortos. Ele havia tentado argumentar com Manea e sua mãe anos atrás, tentando convencê-las de que mandar Lucinda e suas irmãs para o mundo seria um erro, mas elas não o haviam escutado. Em sua experiência, constatara que a maioria não escuta quando os oráculos de outra religião falam suas verdades. Escutam apenas a sua própria espécie. Ele sempre achou que deveria ter se recusado a aceitar as irmãs esquisitas, não deixando às bruxas da Floresta dos Mortos outra escolha senão criar as próprias filhas, mas temeu pelo destino das crianças e decidiu acolher as bruxinhas e arranjar um lar adequado para elas.

Babá parecia a fada certa para assumir um papel tão pouco tradicional, mas tudo resultou em caos, pesar e ruína, já que começou a sofrer uma derrota após a outra, até que finalmente decidiu ir para o lugar intermediário e se perder por lá. Foi quando Oberon suprimiu as memórias de Babá. Tomou sua identidade, dando-lhe paz e uma chance de se redimir através de Tulipa e Circe.

E, agora, ali estavam eles, ambos confrontados com a possibilidade de ter que destruir essas bruxas por causa das escolhas que tinham feito junto com seus pais. Quando olhou para Babá, em pé com sua irmã e as outras fadas prontas para a batalha, ele sentiu uma profunda tristeza por ela, que poderia ter que enfrentar uma filha adotiva em conflito mais uma vez. Sentiu-se puxado em muitas direções, sua mente vagando de seus soldados para suas fadas e delas para Circe. Queria enviar parte de seu exército para a Floresta dos Mortos, mas havia tão poucos soldados agora, depois de sua última batalha com Malévola, que ele sentiu que eram necessários ali. Só podia esperar que os deuses da natureza ouvissem seu pedido e viessem em auxílio de Circe na Floresta dos Mortos, se já não fosse tarde demais.

Observou o céu em busca do pássaro de Malévola, Opala. Ela estava mantendo a vigia à procura de qualquer sinal de Malévola ou das outras criaturas das irmãs esquisitas. A Fada Madrinha, Flora, Primavera, Fauna, Babá e a Fada Azul, junto com uma legião de outras fadas, estavam à distância, logo além do horizonte, vigiando também. Ele estava muito orgulhoso de ver todas as suas fadas reunidas no topo da colina! Lado a lado, varinhas prontas para lutar contra Malévola mais uma vez. Ele podia ver Babá procurando no céu por Opala com seus olhos aguçados, esperando que ela trouxesse um aviso antecipado da chegada de Malévola. Por mais corajosas que fossem suas fadas, Oberon sabia que elas temiam outro confronto com a Fada das Trevas. Especialmente Babá.

Ele agradeceu às Terras das Fadas pela ajuda de Opala. Antes de ela procurá-lo com os planos das irmãs esquisitas, ele pensara que a pobre criatura tivesse morrido junto com os outros pássaros de Malévola durante a grande batalha. Fora uma escolha corajosa, procurá-lo como ela o procurou, alertando-o sobre o plano de Grimhilde e Lucinda, depois que ela escapou das garras de Grimhilde. Ele sabia o que significava para Opala trair sua antiga senhora, mas Opala tinha visto a mudança de Malévola ao longo de seus muitos anos; ela já não enxergava mais a antiga jovem que amava naquilo que Malévola se tornou antes de morrer. E, agora que sua atormentada senhora fora finalmente libertada de sua dor, Opala havia transferido sua lealdade para uma bruxa de coração puro. Circe.

Oberon suspirou, lembrando o quanto Opala estava desesperada quando ela contou sua história. Ela sobreviveu à batalha, mas se escondeu entre os corvos e gralhas mortos de Malévola para ver se poderia encontrar sua senhora. Mas o que encontrou foram as irmãs esquisitas planejando levantar sua senhora dos mortos, usá-la como elas desejaram fazer enquanto estava viva, e ela sabia que tinha que detê-las. A pobre ave passara por tanta coisa enquanto tentava chegar até ele que Oberon esperava que ela sobrevivesse àquela batalha para compartilhar sua história com Circe. Ele esperava que todos sobrevivessem. De qualquer maneira, a história prosseguiria no livro de contos de fadas, como todas as histórias deles, se os leitores prestassem bastante atenção. Certamente, o livro traria o conto de como a velha Rainha Grimhilde havia capturado a pobre Opala. Ou como Branca de Neve estava finalmente livre de sua mãe. Ou como as irmãs esquisitas haviam usado magia antiga e sinistra para trazer Malévola de volta dos mortos. Ou a história de uma jovem corajosa chamada Tulipa, que instalou a paz entre os Gigantes Ciclopes e os Senhores das Árvores. Todas as histórias estavam lá, escritas ou esperando para serem escritas. E ele se perguntou qual o fim que Circe escreveria para si mesma.

E, então, ele viu. Sua resposta estava lá, em silhueta e caindo das nuvens, seguindo em direção à terra. O escuro e sombrio dragão estava despencando para a morte. As irmãs esquisitas a trouxeram de volta só para que ela tivesse outra morte dolorosa, e ele soube então, sem sombra de dúvida, que grave erro havia cometido ao deixá-las viver fora dos limites da Floresta dos Mortos. E soube também o que Circe acabara de fazer para salvar a todos.

CAPÍTULO XIX

O SACRIFÍCIO DA BRUXA

Circe tirou o pequeno espelho do bolso e quebrou-o. Ninguém percebeu na confusão e no caos. Suas mães berravam e Jacob tentava, em vão, acalmar suas filhas, mas a insanidade delas as subjugara e já não podiam mais ouvir as palavras do pai. Hazel e Primrose correram para a casa das irmãs esquisitas pousada no pátio para ver se Branca de Neve tinha sido ferida pelas pedras que caíram quando as harpias voltaram à vida, deixando Jacob e Circe para trás.

Circe olhou para o espelho quebrado. Ela podia ver o rosto de sua prima refletido nos pedaços quebrados.

Ela está segura. Primrose e Hazel cuidarão dela, ela pensou. *Ao menos Branca de Neve estará segura.*

Então, limpou os cacos do espelho para não ter de ver o rosto da prima no comprido e afiado fragmento que segurou na mão.

Estava com muito medo. Mas não tinha escolha. Era a única maneira de recuperar a integridade de suas mães. Era a única maneira de recuperar a sanidade delas.

Ela pegou o longo pedaço de vidro e fincou-o no próprio coração. Sentiu-se engasgando com sangue enquanto começava a perder a visão. A última coisa que viu antes de fechar os olhos foi o rosto horrorizado de suas mães. Ela as ouviu gritando enquanto seu mundo se escurecia.

Branca de Neve, Primrose e Hazel voltaram e se depararam com um pesadelo. Primrose e Hazel ficaram paradas, aturdidas, enquanto Branca de Neve amparava Circe nos braços. Parecia que ela estava sufocando de tanta tristeza. Com pesar demais para chorar, ela ficou ali imaginando como aquilo poderia ter acontecido.

Primrose estendeu a mão e tocou Branca de Neve no ombro com ternura, tentando confortá-la. Jacob fechou os olhos, reprimindo as lágrimas, não querendo ver o rosto sem vida da doce bruxa. Ele cuidava de suas filhas, que estavam caídas no chão, imóveis, mas ainda respirando.

— Não era assim que deveria terminar! — disse Branca de Neve, olhando para Primrose, sua bochecha coberta pelo sangue de Circe.

Ao mesmo tempo que morria de pena de Branca de Neve, Primrose pensava que era provavelmente a única maneira de aquilo ter terminado, embora esperasse de todo coração que não fosse necessário.

Hazel se juntou a Jacob e sentou-se ao lado das irmãs esquisitas.

— Não restou um pingo de loucura dentro delas. Circe salvou-as da insanidade dando-lhes de volta as melhores partes de si mesmas, posso sentir isso. Eu me pergunto por que elas não acordam.

— Acho que elas não querem viver em um mundo sem a filha delas.

Jacob levantou-se para olhar pelas janelas para a paisagem arruinada. O chão estava coberto de escombros das criaturas noturnas que haviam caído no chão no momento em que Circe tirou a própria vida.

— Ela salvou a todos nós, percebem? As Terras das Fadas, cada um nos muitos reinos, todos com seu sacrifício.

Branca de Neve levantou-se repentinamente. Seu rosto estava horrivelmente pálido, mas ela estava quase exultante.

— As flores! Nós podemos levá-la para as flores!

Jacob e as bruxas não disseram nada. Apenas olharam para a princesa com tristeza.

— Vamos! Temos que levá-la para a antiga casa de Gothel! As flores estão lá. Nós podemos trazê-la de volta à vida!

Branca de Neve não entendia por que ninguém dizia nada. Por que ninguém via que essa era a solução.

Primrose se inclinou e colocou o braço ao redor de Branca.

— Nós não podemos, minha querida. Se o fizermos, então Lucinda e suas irmãs retornarão à insanidade e ao tumulto.

Branca de Neve se levantou, notando o sangue em seu vestido pela primeira vez. Ela não sabia qual era de Circe e qual era o dela própria, ou o que achava mais revoltante: estar coberta pelo sangue de sua querida amiga ou a ideia de que as irmãs esquisitas viveriam e Circe não. Ela não podia deixar este ser o fim. Não podia perder sua amada prima. Agora não. De repente, percebeu como as irmãs se sentiram quando perderam Circe anos antes. O desespero para recuperá-la era esmagador. As duas haviam acabado de se encontrar. Haviam acabado de se tornar amigas.

— Então, vamos matar as irmãs esquisitas! — Branca de Neve disse, surpreendendo-se.

— Com essa, você mostrou que realmente é filha de uma bruxa — disse Hazel. — Mas Circe fez a escolha dela. Ela poderia ter matado as mães... ela tinha o poder para fazê-lo, mesmo que não soubesse por si mesma... mas optou por se sacrificar para que elas pudessem viver. Ela sabia que, tirando a própria vida, restauraria nelas suas maiores virtudes.

— Mas não é justo! Eu não posso perdê-la, não posso!

Hazel sorriu para Branca de Neve e disse:

— Tudo o que você amava em Circe agora está dentro de suas mães. Ela era especial porque suas mães a fizeram assim.

Branca de Neve ficou mais furiosa do que nunca.

— Não deveria ser assim! Eu me recuso a aceitar isso! Tem que haver outra maneira!

Primrose pegou a mão de Branca de Neve.

— Você tem que aceitar, minha querida. Circe quis assim. Ela achava que era culpa dela suas mães caírem no delírio. Foi a escolha dela, e foi prevista pelas ancestrais. Nós temos que honrar isso.

Branca de Neve sacudiu a cabeça.

— Amaldiçoadas sejam as ancestrais! Não posso acreditar que vocês estejam bem com isso! Pensei que quisessem ajudar Circe! Pensei que ela tivesse finalmente encontrado um lar e uma família com vocês neste lugar! Sei que foi assim que vocês se sentiram também! Eu podia ver isso quando vocês olhavam para ela! Digam-me que estão bem com a escolha dela, digam-me que não queriam que as coisas fossem diferentes, e eu deixo isso pra lá.

Hazel suspirou e se juntou a elas, colocando o braço em volta de Branca de Neve.

— Claro que esperávamos que as coisas fossem diferentes. Nós amamos Circe. Já a amávamos muito antes de a vermos, desde o momento em que ouvimos sua voz pela primeira vez no lugar intermediário. E, sim, queríamos que ela morasse aqui conosco, que vivesse conosco na Floresta dos Mortos, e esse era um caminho que ela poderia ter seguido. O caminho que as ancestrais esperavam que ela seguisse. Mas isso significava matar as mães dela. E só Circe poderia fazer essa escolha. Nós não poderíamos impor isso a ela.

Branca de Neve não podia deixar de sentir que havia outro jeito.

— Sei em meu coração que não é assim que isso deveria terminar. Sei disso! Por que nenhum de vocês enxerga isso?

A sala foi inundada de luz quando uma nova voz ecoou no ambiente. Calma e serena, era a voz das ancestrais.

Branca de Neve está certa. Não é assim que tem que terminar.

— Gothel?

Primrose olhou ao redor da sala, tentando encontrar a fonte da voz.

Gothel está conosco, Primrose, e nós falamos como uma só, como as ancestrais da Floresta dos Mortos sempre fizeram.

A luz na sala se intensificou.

Circe não deveria morrer pelos nossos erros. E nem as mães dela. A escolha será delas, juntas.

Branca de Neve sentiu-se estranha conversando com um ser invisível, com essa voz do outro mundo, mas encontrou coragem e perguntou:

— Mas como? Como elas farão a escolha?

Nós falaremos com elas, Branca de Neve. Terão uma escolha. Uma escolha que só elas podem fazer. Elas decidirão o que fazer, e nós honraremos tal escolha e usaremos nossos poderes para garanti-la. Prometemos a você.

— Eu não entendo! Como elas saberão que têm escolha? Como saberemos o que elas querem?

Elas estão no lugar intermediário e estão ouvindo.

CAPÍTULO XX

LAR

Circe e as irmãs esquisitas estavam sentadas à mesa, na cozinha, em frente à grande janela redonda. Do lado de fora, tinham uma visão dos corvos de Malévola empoleirados pacificamente na macieira. Em cima da mesa havia um magnífico bolo de aniversário, e a Sra. Tiddlebottom estava zanzando na cozinha, preparando chá.

– Onde estamos? – Circe perguntou confusa.

A Sra. Tiddlebottom riu.

– Não sei, querida. Achei que você fosse me dizer.

– Estamos no lugar intermediário – respondeu Lucinda.

Circe não tinha imaginado que o lugar intermediário seria assim.

– É como quisermos, filha – disse Ruby, colocando um pires de leite no chão para Pflanze.

– Pflanze! – A jovem bruxa ficou feliz em vê-la até perceber o que isso significava. – Oh, Pflanze. Você está bem?

A gata não respondeu.

— Ela não consegue falar com você, querida. Está muito fraca. Ela mal está se aguentando, mas faremos o que pudermos para mantê-la aqui, não é? Não a deixaremos atravessar o véu da morte, não por nós. Assim como não vamos deixar você entrar nas névoas com nossas ancestrais.

Circe de repente sentiu como se ela fosse pequena novamente, sentada na cozinha com as mulheres que ela antes achava que eram suas irmãs, em uma clara manhã de sol. Estava muito feliz por ter feito a escolha certa! Estava feliz em ver suas mães assim, como elas deveriam ser.

— Nós também estamos felizes por sermos nós mesmas novamente — disse Lucinda. — Mas desejávamos que isso não tivesse custado sua vida.

A Sra. Tiddlebottom trouxe às bruxas um bule de chá e xícaras.

— Aqui está, minhas queridas — ela disse, baixando a bandeja.

Circe olhou para ela.

— Oh! Sra. T! O que vai fazer? Avançar para além do véu da morte ou vai voltar à sua antiga vida?

A Sra. Tiddlebottom riu.

— Eu já vivi muito tempo, mas as ancestrais têm mais uma tarefa para a velha Sra. Tiddlebottom antes de partir. Eu devo cuidar das flores se você e suas mães decidirem usá-las. Acabo de sair do meu cantinho no lugar intermediário e dei uma passadinha aqui só para beber um pouco de chá antes de voltar para casa. E lhes pedir um favor.

Circe sorriu.

— Claro, qual é o favor?

Mas Lucinda respondeu pela velha senhora.

— Ela gostaria que fizéssemos nossa escolha rapidamente. Está pronta para atravessar o véu. — Lucinda sorriu para a Sra. Tiddlebottom. — Sinto muito que nossas ancestrais tenham interferido em sua morte.

A Sra. Tiddlebottom deu um tapinha no ombro de Lucinda.

— Oh, você não é a mesma bruxa de que eu me lembro. Não mesmo. Eu gosto muito mais desta versão de você.

Lucinda riu.

— Eu também gosto mais de mim assim.

— Mas de que escolha estamos falando? Eu já fiz a minha escolha! E por que vocês estão aqui, mães? Por que não estão na Floresta dos Mortos? Por que não estão vivendo a vida que eu lhes dei com o meu sacrifício?

Lucinda segurou a mão de Circe.

— Porque, minha Circe, estamos no lugar intermediário, e nos foi dada uma escolha. E tudo que temos a fazer é prestar atenção para ouvi-la.

Fim